北京妇产医院／妇科内分泌知名专家／20年临床经验

女人面色润、妇科好、精神足，

养好内分泌是关键

女人的一生，是内分泌的一生

柳顺玉／著

江苏凤凰科学技术出版社　　博集天卷 CS·BOOKY

内分泌失调对女人容貌的影响

╱长痘痘╱

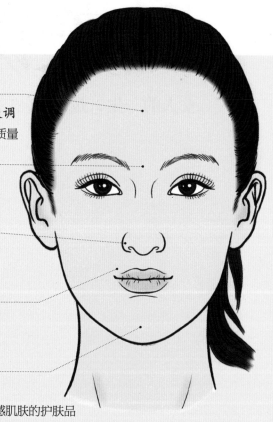

额头
肝脏累积过多毒素，内分泌严重失调
对治方法：改善作息时间，保证睡眠质量

眉心
心脏出问题了
对治方法：去医院做检查

鼻子两侧
胃火旺盛，消化不好
对治方法：少吃刺激性强的食物

嘴巴周围
肠道有问题
对治方法：清肠、降火、排毒

下巴上
生理期痘痘
对治方法：温和对待皮肤，用适合敏感肌肤的护肤品

／体毛多／

如果在唇周、下颌、前胸中线、大腿内侧、乳晕周围等地方都有不同程度的毛发分布的话，大部分和内分泌失调有关，严重者会伴有月经不调、月经稀少，甚至是身体疾病的征兆。

对治方法：1. 少吃炸鸡、薯条、蛋糕、碳酸饮料等垃圾食品。

2. 多吃蔬菜、水果等富含维生素的食物，多吃豆腐、豆浆等豆制品补充雌性激素。

／肥胖／

胰岛素和前列腺素E这两种激素都会促进脂肪合成，减少脂肪分解。糖皮质激素如果分泌多了，就会刺激大脑产生饥饿感，促使我们吃的增多，最终的结果就是转变成脂肪。

对治方法：不要盲目节食减肥，先检查内分泌水平，然后制定合理的饮食和运动计划。

内分泌失调带来的不适与疾病

骨质疏松

女性在过了40岁以后，由于雌性激素分泌量减少，对成骨细胞的刺激减弱，导致骨吸收平衡失调，从而导致骨密度减低，临床上就表现为骨头脆性增加、易骨折、骨密度减少等骨质疏松症状。

对治方法：1. 补钙最好在40岁之前。最好的方式就是通过改善饮食结构，从天然食品中获取足量的钙。

2. 每100克鲜牛奶中含钙120毫克，每天喝一袋500毫升装的牛奶，就能补充600毫克的钙。

乳腺增生

乳腺增生自我判断方法

用手触摸乳房时，可以摸到一些小肿块，时不时会有胀痛。

肿块和胀痛常常是跟着月经走的，月经前肿块会变大变硬，也更疼，月经过了乳房变软，肿块也小了甚至摸不到了，痛的感觉也轻了，甚至痛感消失。

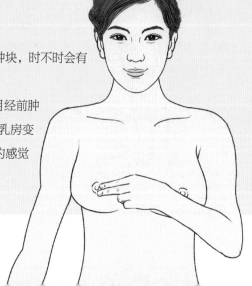

非月经期出血

经常性非月经期出血

如果经常出现排卵期出血，可能是严重的内分泌紊乱导致的，需要在医生指导下，服用可以补充雌激素的药物。

对治方法：口服短效避孕药是调节内分泌的一个不错选择，不仅能平衡雌激素，还能让月经变得规律。

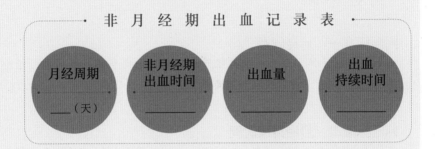

非 月 经 期 出 血 记 录 表

月经周期

____（天）

非月经期
出血时间

_____

出血量

出血
持续时间

_____

偶尔非月经期出血

一般是因为过度劳累或生病后免疫力低下，或生活不规律，或情绪波动影响了内分泌的平衡导致的，对身体没有多大影响，一般也不需要治疗。

对治方法：1.注意补充雌激素，适当增加豆类、豆制品的摄入，比如每天一杯豆浆。

2.规律作息，避免过度劳累，保持情绪稳定，加强体育锻炼。

闭经

受凉是引起非病理性闭经的主要原因之一。

对治方法：饮食调节，平时多吃姜、羊肉等可以驱除寒气的食物。

生姜红糖驱寒汤

 材料　生姜5片，红糖2勺。

 做法　生姜加入适量清水，煎煮10分钟，放入红糖即可。

提示　淋雨、受凉时，可喝此汤驱走寒气。

月经不调

判断标准一：月经周期
从本次月经开始，到下一次月经开始，是一个完整的月经周期。理论上月经周期是28~30天，前后波动一周都属正常。

判断标准二：月经持续时间
只要是在2~7天，都没问题。少于2天，就是经期过短；超过7天，属于经期延长。这两种情况，就是月经失调了。

判断标准三：月经量
一个周期经血量在20~100毫升是正常的。如果每次来月经，一包10片的卫生巾，三包都不够用，每换一次卫生巾，不超过半小时就湿透，甚至经血顺着腿往下流，基本上可以判定属于月经量过多。

判断标准四：经血颜色
第一天的血色是暗红色或红褐色，到了中期，变为鲜红色。如果经血是黑色的，或者是淡红色，则是不正常的。

/白带异常/

正常的白带为乳白色或无色透明，略带腥味或无味。白带质、量、色发生变化时，就是身体发生疾病的信号。

白带性状与对应疾病速查表

白带性状	可能疾病
无色透明黏性白带，量明显增多	慢性宫颈炎、卵巢功能失调等
白色或灰黄色泡沫状、凝乳状，有鱼腥味，并伴有阴部瘙痒	阴道炎
脓样白带，色黄或黄绿，并伴有臭味	滴虫或淋菌等细菌所致的急性阴道炎、宫颈炎等
血性白带	宫颈癌
血水样白带，且伴有奇臭	晚期宫颈癌

调整内分泌的天然补养品

粗粮

粗粮含有较多的膳食纤维，可促进肠蠕动，缩短体内垃圾在肠内停滞时间，使大便通畅，有利于毒素排出，还可抑制肥胖。

早餐：用粗粮熬粥，比如燕麦、糙米、薏米等。

午餐：可以稍微多吃一些粗粮，红薯、玉米、豆类都是不错的选择。

玫瑰花

玫瑰花含有丰富的维生素，其香气可缓解压力、安定神经，有助于睡眠。玫瑰花还能够调节内分泌，延缓更年期的到来，对保护皮肤和消炎也有很好的作用。

/玫/瑰/花/茶

 材料 玫瑰花10克。

 做法 将玫瑰花放入杯中，倒入适量沸水，盖上盖子泡5～8分钟，即可饮用。

 提示 玫瑰花最好不要与茶叶泡在一起喝。因为茶叶中有大量鞣酸，会影响玫瑰花的功效。

自序 | 爱自己的女人，
PREFACE | 向内分泌要健康

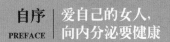

作为一名普普通通的女性，在我四十而不惑的这个年龄，有着一份自己热爱的职业，觉得很幸运。拥有一个稳定幸福的婚姻和一个乖巧懂事的女儿，同样让我很感恩。而我的这份感恩要比别人更浓重一些，这可能跟我的职业有很大关系。

从医近20年的光景里，已经记不清诊治了多少位患者，尤其进入到妇科内分泌这个科室后，大概每年的接诊量也会在一万六千人以上。以前在产科的时候虽然也是从早忙到晚，但看到的都是对新生命无比期待的幸福面孔。而我现在的诊室里，毫不夸张的讲，每天都在上演着人间的悲欢离合，当你看尽这些喜怒哀乐，也就尤为珍惜眼前的幸福。由此我经常感叹，女人的内分泌真真切切关乎着她一生的健康与幸福。

每一位患者都是一个活生生的临床案例，身后又承载着很多难以明说的故事，作为她们的医生，我的"望闻问切"后得到的通常是很多病情以外的隐私或者让人动容的故事。

有些花季少女为了追求所谓的骨感美，背着父母滥用减肥药物，最严重的到了厌食症的地步，甚至危及生命。那个时刻，同样作为母亲，我的第一反应是惋惜和心疼，同时胸口也感到有一种难以形容的憋闷感，我恨她们的无知，堪忧她们的未来。

接诊中有相当一大部分患者是希望能早日成为一名妈妈，来我这里，每次听她们的内心诉求，都像把我当成了最后的救命稻草，让自己不由得感到压力和责任的重大。在我们这个社会，不得不承认很多地区很多人的意识还停留在"不孝有三，无后为大"的这个层面上，她们有的因为怀不上宝宝婚姻走到尽头，有的因为年轻无知，过多的人流最后影响生育而在我面前懊悔大哭。当然我最愿意看到的还是那些坚持内心的信念积极配合治疗的患者，最后梦想成真，有的不远千里从老家寄来了喜蛋和感谢信。每到那一刻，内心的幸福与满足感是难以言表的。

看到很多职场高压下的女性，不能很好地平衡自己的生活，打破了原有的平和快乐的日子，也破坏了体内的各种激素，她们变得焦躁不堪甚至抑郁，在我面前都是一副痛苦无助的样子或者漠然麻木的表情。

更年期的女性朋友在这个最关键的时期没能安全顺利地度过，有的让身体发展成更大的疾患，有的甚至因为这个时期的脾气与情绪无法把控，失去了精心呵护多年的家庭。

妇科内分泌接诊的女性患者，可以说包罗万象，作为医生，不得不感慨不叹息，如果天下的女性都多一些妇科内分泌的科普知识，能够做到正确地了解身体讯号，懂得关爱自己，很多身体上的病症或者生活中的不美好也就不会发生。

能有本书的问世，首先要感谢我的恩师和医院的领导对我多年的教导，以及对我工作上的支持。在很多医学界的前辈身上，确实可以感受到严谨求学的从业态度和尊重生命、高风亮节的道德修养，并且深深地影响着我，让我这么多年一路上收获太多感动。

最后感谢我的爱人与女儿，和谐的家庭、温暖的爱，可以让我有更坚定的信念在妇科医学的路上前行，也让我有更多的激情与能量为天下女性的健康尽一己之力。

柳顺玉

第一章
— 女人要知道 —
内分泌到底多重要

第二章
— 女人要小心 —
每个年龄都有内分泌的烦恼

第三章

第四章

—女人要幸福—

既要怀得上，还要生得好

第五章
— 女人要保养 —
会爱自己的女人才最美

第一章

－女人要知道－
内分泌到底多重要

对女人来说，内分泌的重要性再强调都不为过，除非你不在意自己的美丑，也不在意自己是否足够健康。夸张点儿说，女人的一生，就是内分泌的一生。从出生开始，尤其是从青春期开始，我们就由内分泌调控这一生。体内的荷尔蒙是否平衡，直接决定着我们的生活状态。假如女人能始终在内分泌的平衡木上走得平稳，那么恭喜你，健康与靓丽就是让所有女人羡慕你的两大资本。

内分泌:
女人的平衡木

提到内分泌，大家一般都会想到内分泌失调，想到女人。其实，跟呼吸系统一样，不管是男人还是女人，都有内分泌系统，都需要借助内分泌系统分泌出来的激素对人体的新陈代谢进行调节。但是，跟男人相比，女人的内分泌显得更为重要，因为它是不是平衡的，与女人的健康和美丽直接相关。

 内分泌，最关键的是平衡

我看到过唱《把悲伤留给自己》的中国台湾影星陈升出的一本书，叫《风中的费洛蒙》。乍一看到，还有点儿没明白，略一琢磨，哦，荷尔蒙。台湾地区的人把"荷尔蒙"叫作"费洛蒙"，只是音译的不同。

这个"荷尔蒙"，很多人都不陌生，其实它才是真正的人体平衡调节器。荷尔蒙是什么呢？荷尔蒙其实就是激素，它是英文单词"Hormone"

的音译。

一说到荷尔蒙，人们难免会联系到爱情。为什么呢？因为男人和女人的爱慕之情，往往是激素的相互吸引。我们常说的"女人味儿""男人味儿"，这个"味儿"其实就是指身体所散发出来的雌激素和雄激素。难怪，陈升的书里边到处可见男女间各种纠缠迷离的情愫。

严格来说，我们体内一共有七十多种激素，它们共同决定着身体状态。但显然，它们对身体的影响是有大有小的，有一些显得更为重要。那么，对女人影响最大的激素是什么呢？是雌激素。

雌激素是一种女性激素，主要由卵巢和胎盘产生。女孩子进入青春期后，卵巢开始分泌雌激素，以促进阴道、子宫、输卵管和卵巢本身的发育。雌激素能让水葱样的小女孩一下子变得体态丰盈、女人味儿十足；它还能让子宫内膜增生、变厚、变软，为受精卵在子宫中踏实生长做好准备工作；如果卵细胞没有受精，子宫内膜脱落，就形成了月经。

可以说，正是雌激素帮女人拥有了女性的魅力，假如你不想当个"女汉子"，就一定要让自己拥有足够的雌激素，它是女性柔美的根源，也是女人充满青春活力的法宝。

对女人来说，雌激素就像让我们永葆青春美丽的仙丹，只要有了它，我们就可以更年轻、更美丽。但大家千万不要忘了，最重要的是一个"平衡"，雌激素也不是越多越好的。在什么年龄阶段，你的各种激素水平就应该在相应的正常范围之内，超出了正常范围，身体就容易出问题。

我对接诊过的一对患者印象特别深刻，一对母女一起来看病。这个当妈妈的，年轻时一直苗条漂亮，对身材相当自豪。可是到了40岁以后，她发现不管怎么节食，自己的体重都在不可抑制地上升。为了不让自己变成肥胖的中年女人，她刻意严格控制自己的饮食，并且同时口服一些药物，还去跳各种减肥操。可是，这些努力都没能让这位妈妈的体重减下来。于是，固执的她吃得越来越少，她就不相信这肥减不成功。

过了一段时间，突然有一天，她发现自己瘦了，而且越来越瘦。可是没高兴多久，她就发现不对劲了，自己怎么瘦成这样了？说是皮包骨头一点儿也不过分，太难看了。难不成是身体出什么毛病了？她这才来看医生。

而跟她一起来的，是她刚刚读大学二年级的女儿。女孩读了大学之后开始住校，和宿舍的姐妹们对比之后，对自己的身材越来越不满意，嫌自己的胸部不够丰满。听说服用雌激素可以刺激身体二度发育，就瞒着大家偷偷开始服用。

过了一段时间，这位女孩的胸部倒是没有明显变大，可是她每天洗澡的时候都会感觉胸部有明显触痛感，一开始她还以为这是乳房发育的征兆呢，可是刺痛感越来越强。放假回家后，她吞吞吐吐地把事情告诉了妈妈，两个人就一起来医院了。

看着这对母女，我真是哭笑不得。这两个人，妈妈得了甲亢，原因是长时间节食，导致内分泌失调，甲状腺激素分泌过多，新陈代谢速度加快，以至于出现了消瘦的症状。如果她对此视若无睹还要继续节食，那很可能就会危及她的生命。

而女儿呢？由于随意服用雌激素，导致体内雌激素水平过高，内分泌系统也出现了不平衡，于是出现了乳腺增生的症状。要知道，人体内的各个脏器和系统都讲究和谐、协调，雌激素尽管对女人的形体美丽有帮助，但也绝对不能随便服用。即便需要从外界补充雌激素，也一定要在医生指导下进行才可以。

在多年接诊的经历中，像这对母女这样的患者并不少见。基本上，关于内分泌的所有问题都是平衡问题。我们身体里的各项荷尔蒙都需要平衡，而且正常情况下它们也的确是平衡的。一旦因为某些原因出现失衡，体内的某一种或者某几种荷尔蒙过多或者过少，无论男女，都会出现各种病症，只是在女性的身上表现得尤为明显罢了。

所以我常说，对女人来说，这一生我们就是在内分泌的平衡木上行走。倘若能够走得轻盈漂亮，你也就拥有了靓丽成功的一生。

无情的不是岁月，而是荷尔蒙

不管是男人还是女人，这一生，我们的内分泌都与"年轻态"息息相关。不过，正像我之前说过的那样，内分泌对女人的影响更大。大家应该都有感触，一过 30 岁，男人越来越有魅力，甚至还有"男人四十一枝花"的说法；而女人的姿色，则是一天不如一天，所以有了"女人四十豆腐渣"这种说法。到了 40 岁之后，如果没有经过细心保养，女人基本上看起来总是比同龄的男人显老。

为什么会这样呢？是岁月对女人格外无情吗？其实真正的根源在荷尔蒙那里。从青春期开始，女人的一生，每一个人生阶段的生理状况，都跟体内的荷尔蒙分泌密切相关。

虽然我们的寿命不是直接取决于内分泌，但我们最关注的年轻漂亮，还真得靠它。于是从青春期开始，我们就开始了由内分泌决定的一生。

女孩子的青春期开始得早，从十一二岁起，就进入了"女大十八变"的过程。我们会发现这时候女孩子开始长个儿了，胸部开始慢慢隆起，腋下也长出了黑色毛发，并且迎来了月经初潮。在这段时间，决定女孩子身体发育的是雌激素。也就是说，以后的身材好不好，主要看这段时期她们体内的雌激素水平。

我们对青春期的界定一般是12～18岁，在这段时间里，小女孩渐渐长成了大姑娘，出落得亭亭玉立。大家应该都有经验，20岁左右的女孩子，几乎没有丑的。这时候的小姑娘，个个皮肤细腻有光泽，身体看起来又结实又饱满还有弹性，可以说，这是她们一生中最为漂亮的阶段。为什么呢？因为这时候她们体内的雌激素分泌量是一生中最巅峰的时刻，而且体内各种荷尔蒙处于一种特别平衡的状态。

美了几年之后，到了25岁，这是一个转折点。虽然存在个体差异，但基本上到这个年龄之后，每个女人体内的雌激素分泌量都开始出现缓慢下降，35岁以后，更是明显下降。与此同时，雄激素的分泌量开始逐渐增加。

雄激素增多，直接会导致我们出现一些雄性生物的特征。当然，由于我们分泌的雄激素特别微量，即便增多，也不至于恐怖到引起变性。但它带来的直接后果就是，原本细腻光滑的皮肤变得粗糙，各种色斑、色素沉着都开始出现。其实也不能全怪雄激素，出现这种状况，主要还是体内荷尔蒙失衡，由于雄激素分泌过多，势必就会显得雌激素分泌量相对不足了。

那么是不是这一时期身体能够分泌足够的雌激素，我们就可以避免出现开始衰老的迹象？也不是的。假如这时候我们体内的雌激素分泌量过多，雄激素显得相对不足，有可能会导致乳腺增生或者子宫肌瘤。所以说，雌激素也是过犹不及，多了一样会生病。

而在 25~35 岁这 10 年间，绝大多数女人都要完成人生的一件大事——生育。在这件事上，内分泌更是起着至关重要的作用。要知道，内分泌失衡会引起月经不调、排卵不正常，进而导致女性不孕症。

即使怀孕了，如果你的孕激素偏低，也容易导致先兆流产等情况。所以在妇产医院，你会发现那些妇科情况好的女人更容易受孕，且孕程也顺利得多。为什么呢？因为内分泌平衡，妇科情况就好，说白了还是内分泌的事儿。

来医院里做检查的大多数是婚后女性，我常常提醒那些还没有做"造人计划"的女性，如果在日常生活中不讲究卫生或频繁人工流产，会造成粘连或发生炎症，整个生殖系统会遭受重创，再想要孩子可就难上加难了。

听我这么说，有的人就疑惑地问我："人工流产后出现宫腔粘连、闭经，柳大夫，有那么严重吗？"事实就是如此，一次宫外孕手术就有可能造成卵巢功能下降，在医院里这样的案例每年都有发生。

有很多女人 40 岁就面临了提前闭经的尴尬，这是卵巢衰退的一个重要表现。卵巢衰退，雌激素分泌就会减少。研究数据表明，血液中雌激素浓度高的女性，比雌激素浓度低的同龄女性可以年轻 8 岁之多。

女人从 35 岁开始荷尔蒙就会出现大幅度下降，一般到了 45 岁就进入了一种叫"围绝经期"的阶段，它其实指的就是绝经之前那段较为漫长的时期，也就是我们常说的更年期。这个时期也是卵巢功能衰退以及生育功能趋于终止的时期，很多女性在这个时期没有注意积极地预防或者保养，最后会发展成很多疾病，更年期的问题我们也会在后边具体提到。

荷尔蒙分泌量的减少以及失衡，会让各种问题层出不穷。假如雌激素严重不足，我们的皮肤会越来越粗糙，毛孔越来越粗大，脸上的各种斑点越来越多。假如雄激素不够呢，同样还是要面临乳腺增生、子宫肌瘤和卵巢囊肿这些疾病。

过了 50 岁之后，一般女人都已经处于绝经期。在人生的这一阶段，女人如果还希望自己能有青春少女般白皙光洁的脸庞和窈窕动人的身材，几乎肯定是奢望。随着卵巢功能的衰退，这时候的雌激素分泌量只有 20 岁时候的五分之一了。等我们活到 80 岁，雌激素分泌量连巅峰时期的十分之一都不到了。

这一生，随着体内各种荷尔蒙分泌量的增减，我们会由年轻美丽逐渐变为衰老。容貌和身体的变化都是自然规律，每一个年龄都有那个年龄的美，岁月的积淀也会让女人散发出不同的味道和魅力，所以每一个女人都不必太在意"年老色衰"。只是，我们一定要关注自己的健康，学会在不同的年龄段正确地关爱自己。

在这一生中，荷尔蒙不仅影响我们的美丽，更影响我们的健康。对女人来说，雌激素是至关重要的一种荷尔蒙，它直接影响着子宫等各种女性器官的功能。在 30 岁之前，我们身体的内分泌系统还比较年轻，所以充满活力，它能够很好地自动调节。因此，即便雌激素不够，也不太会影响身体其他器官的生理机能。

　　但是，到了 30 岁尤其是 35 岁以后，雌激素分泌量的锐减，让内分泌系统无法应付，它很难自动调节出平衡状态了，于是女人不仅开始显现出各种老态，更开始出现各种疾病。

　　所以，我说女人的一生是荷尔蒙决定的一生，一点儿都不为过。

10 个女人，
6 个内分泌失调

提起内分泌失调这个词，就算你是男人，也一定不会陌生吧？虽然大家往往只会想起女人，但这件事的确在男人和女人身上都会发生。不过，由于荷尔蒙的变化在女人身上表现得更加突出，所以女人一旦内分泌失调，都会直接影响我们的身体和生活，当然，一定是不太好的影响。不管是头痛、失眠，还是皱纹、色斑，或者经期的肚子痛、痘痘等，都与内分泌失调有关。

我们的生活压力越来越大，环境越来越糟糕，我可以很负责任地说，在25～55岁这个年龄区间的多数女性，几乎都存在内分泌失调的情况。只不过有的人没那么严重，经过一段时间调理就好，有的人则需要看医生了，但是她们自己却往往没有意识到。

内分泌失调，你中招了吗

对女人来说，内分泌失调最常见的疾病是乳腺增生、子宫肌瘤、卵巢囊肿等。如果还没有严重到发展为疾病，那么最主要的表现就是痛经、月经紊乱。但平时我们身体的小毛病，比如月经期间的各种问题或者黑眼圈、色斑、皱纹增多这些现象频频出现，也或多或少与荷尔蒙不平衡有关。

要是来医院做检查，我要让你先抽血，看看血液里边的女性内分泌激素（如黄体生成素、促卵泡激素、催乳素、孕酮和雌二醇等）分泌是否正常，根据数值可以判断你是否出现内分泌失调，以及失调情况有多严重。但一般情况下，我相信除非情况比较严重，否则大家不大会来医院特意做一个内分泌检查的。所以，大家需要自己检查一下身上是否出现了内分泌失调的症状，如果有，就要及早引起注意并且加以调理。

首先是各种妇科疾病，这绝对是内分泌失调的警报。比如月经量多、痛经、月经不调、乳房胀痛、乳腺增生、闭经等，根源基本都是内分泌失调。不过一旦出现这些病症，表明内分泌失调已经相当严重了，我们最好在此之前就能注意到，做到早调理、早治疗。

还有就是我们的皮肤，也是内分泌是否失调的一个报警器，比如原本白皙的脸上出现了各种斑，不管是黄褐斑还是黑斑，这些都是你身体的内分泌系统出问题了，然后一旦出现一些诱因，比如紫外线照射、化妆品里的重金属等，这些外界不良因素的刺激，就会让皮肤上长斑。不管你用再多祛斑的护肤品都不管用，因为这不仅仅是皮肤的问题。

再有，生活中我们经常听到有一类人总是抱怨自己"喝凉水都长肉"，如果你是属于这类人，特别容易发胖，又怎么也难减下一斤肉，我建议你去查一查内分泌。我有一位女患者，不仅仅是体形不美观，肥胖已经影响到她的正常生活了。为了减肥她真是没少折腾自己，可是除了身体越来越虚弱之外，没见到什么成效。后来是她的一个亲戚在我这里看过病，听我提起过肥胖有可能是内分泌问题，就建议她来医院看看。我给她测量体内激素水平，发现胰岛素水平异常高，肥胖导致胰岛素水平升高，两者恶性循环，这也就是她肥胖的根源了。

当然还有情绪上我们也要多加留意，比如你发现自己变得比以前急躁、焦躁，自己不能很好地控制情绪，这时候你也可以考虑一下是不是内分泌有问题了。我们都知道，女人到了更年期的时候，容易变得性情古怪，情绪波动非常大，这是因为体内荷尔蒙发生了巨大变化，失去平衡。即便我们没到更年期，但如果内分泌失调了，也会对心情产生相应的影响。所以，如果你脾气越来越差又没有明显的外在原因，很可能是内分泌出了问题。

此外，还有一些非常明显的症状，如不孕、体毛过多、面部痤疮等，都可能跟你的内分泌有关。虽然我们不能把平时身体的各种小病小痛都归罪于内分泌失调，但别忘了内分泌系统是非常敏感的，体内荷尔蒙失衡就可能引起身体任何部位的病变。

这就正是我们要密切关注内分泌系统的原因，它要么给你锦上添花，

要么就雪上加霜。当然，我们希望它是能够给健康状况锦上添花，让我们
更加年轻美丽的。那就要尽可能全面地去了解妇科内分泌的知识，真正做
到防患于未然，让自己远离内分泌失调。

TIPS：内分泌的自我检测

如果你正处于 25～45 岁这个年龄阶段，那么这里有一个自我测试，
可以帮助你进行自我判断，看看自己是否存在内分泌失调的症状。

1. 脸上皮肤暗淡，长斑，或有痤疮；

2. 皮肤松弛、粗糙、干燥，缺乏紧实感；

3. 月经不稳定，并伴有非月经期出血或闭经等症状；

4. 月经前后有痛经、乳房肿胀、腰酸背痛的情况；

5. 体毛增多，例如嘴唇边、腿上、乳房周围等；

6. 经常感到阴道干涩，性欲减退，甚至是性冷淡；

7. 经常感到肌肉酸痛，或是患上肩周炎、颈椎病；

8. 白天时常犯困，比以前慵懒，并且容易疲惫；

9. 时常会有潮热出汗、头晕目眩的现象发生；

10. 出现脱发、头皮出油多等情形；

11. 情绪不稳定，精神不容易集中，易怒或焦虑；

12. 时常失眠，睡眠质量差；

13. 白带异常，或出现其他妇科疾病；

14.体形有逐渐发胖的趋势。

如果你有3种以上情况出现，说明你的内分泌系统存在轻度的失调；如果你有五六种以上的情况出现，说明你的内分泌出现了失调，甚至是混乱的。出现的情况越多，你越要赶紧重视起来，千万不要等到产生更大的疾患再去医院检查。

为什么内分泌失调会找到你

最近流行一句话，叫"不作死就不会死"。可是，关于内分泌失调这件事，有些原因还真怪不到我们自己头上，比如年龄就是导致我们内分泌失调的一个重要因素。如果我们每个人的身体状况都始终像在20岁时候那样，也就没那么多健康问题了。可是随着年龄的增长，我们的内分泌系统功能越来越差，很难让体内的荷尔蒙保持平衡状态。

所以，我接待的患者中小女孩或者少女不多，即便有，也是因为她们自己的确做了某些破坏内分泌平衡的事情，比如过度减肥等。但年龄越大，内分泌问题就越突出，很多人往往会说："我怎么就莫名其妙地内分泌失调呢？我的作息、饮食、心情都和以前差不多，最近也没什么特殊改变啊？"你是不觉得自己有什么变化，可严格来说，我们的身体每一天都在发生细微变化，而且正常情况下，是在朝糟糕的方向发展。因此，年龄越大，我们对内分泌问题就应该越关注。

另一个大问题就是环境了。曾经有患者和我探讨："柳大夫，你说古代女人也有这么多问题吗？她们都是怎么检查、怎么治疗的？"古代女人到底活得怎样，我们都很难去了解，但可以肯定一点，古代虽然医疗条件差，可是环境条件好。不管是空气质量还是食品安全，这些对内分泌失调都得负重要责任。

就拿空气质量来说吧，大家别以为雾霾只对呼吸系统有影响，内分泌系统也难逃厄运。在连续雾霾、不见天日的时候，我劝诸位还是要尽量减少外出，否则雾霾中的有毒物质被吸收之后，长期也会直接影响女性的内分泌健康。

对这两点，我们确实感到无能为力，但这两条导致内分泌失调的客观因素对我们身体的影响，和主观因素相比，那真是小巫见大巫。内分泌失调，其实有很多方面还真是我们自己"作"出来的。

说起破坏身体内分泌平衡的恶行，那还真是数不胜数。除了随年龄增长而带来的雌激素分泌减少外，我们日常的饮食、睡眠、精神三方面也是造成内分泌失调的重要原因。

我们先来说吃的，这也是最常见最重要的原因了。前段时间我接诊过一个患者，子宫内膜增生。她年龄不大，才30来岁，体形丰满。我问她平时的饮食习惯，她两眼放光地说最爱甜食，吃完之后满满地都是幸福感。平时呢，基本上是糖果、小点心不离身，时不时地拿出来吃上一点。而且只要有机会就会喝下午茶，咖啡加甜点，自我感觉时尚得很。

看着她那满足开心的样子，真不忍心打击她。可是要知道，糖、酒精、油炸类食物和咖啡因是四大类最容易让内分泌失调的食物。这些东西，你吃得越多，越容易内分泌失调。

很多女孩子都是无甜不欢的，一见甜品就走不动道儿了。要说甜食不是不能吃，但得看怎么吃，吃多少。比如我们来月经的时候，体内荷尔蒙水平会有所波动，情绪也容易受影响。这时候稍微吃一点儿巧克力或者糖果，可以带来兴奋愉悦感，这没什么不好。但甜食吃多了，一方面会发胖，另一方面还会影响体内的胰岛素水平，产生与代谢有关的种种问题。假如因为自己胖而减肥，又会带来另外一系列的内分泌问题。

接下来是睡眠问题。根据我的经验，做了妈妈的女人，也许是因为哺乳期间每天夜里要醒很多次，睡觉越来越轻，睡眠质量往往越来越差。而年轻女孩子呢，她们通常一睡着就睡得很香很沉，倒是不大容易失眠，可她们最大的问题是熬夜，晚上打死都不肯睡，早晨打死都起不来，或者周末狂睡懒觉，这些都不属于睡眠质量良好的表现。

那么睡眠为什么会影响内分泌呢？在后边我们也会具体讲到这一点，简单来说呢，在我们休息的时候，内分泌器官各司其职，安静地工作或者休息，调节体内的荷尔蒙到达平衡状态。所以一旦作息不规律，打乱了身体生物钟的节律，自然会引起内分泌紊乱。

引起内分泌失调的另一个重要因素其实是跟睡眠有关的，它们俩往往会形成恶性循环，那就是精神状态不好。都说这年头生活不易，要且行且珍惜。的确，活着是有很大压力，各种压力，每种压力都得打起十二分精神应对，让人很难自在放松。可是，这种紧张的精神状态被我们敏感的神经系统感知到了之后，马上就会造成内分泌失调。

　　所以，在了解了导致内分泌失调的主要原因之后，我们就可以结合自身情况做一个简单的分析，大致知道自己可能在哪些方面出问题，然后做到及时关注和调整。我也会在后面的内容中给出一些实用的方法，帮助大家一起调理内分泌。

内分泌失调，
不光关乎你的容颜

相信我们很多人都知道，不管是女孩子的月经不调、乳房问题、皮肤问题、男女不育不孕症等，基本上都是内分泌失调惹的祸。但是我们的内分泌系统中绝不仅仅只有性腺，还有很多我们耳熟能详的常见病，这些常见病原来也都是内分泌惹的祸，所以不要总以为内分泌就是关乎容颜和妇科的。

在内分泌系统紊乱引起的所有疾病中，甲状腺疾病与糖尿病是最常见的两类，同时也是治疗时间长、治疗难度大的两类。糖尿病大家应该都知道它的厉害，对甲状腺疾病可能不大熟悉，我们一个一个地来说说。

 难缠的甲状腺疾病

既然是甲状腺疾病，一定是与甲状腺有关的，甲状腺是内分泌腺的一种，它分泌的激素作用主要是促进人体的新陈代谢。跟它有关的疾病

有很多种，但最常见的就是甲状腺功能亢进，就是我们常说的甲亢。

需要提醒大家的是，我们俗称的"大脖子病"是一种甲状腺肿，往往是因为缺碘引起的。而甲亢虽然也能引起甲状腺肿大，让脖子变得粗大，但甲亢患者一定不能让饮食中碘的含量过高，他们不能吃海带、紫菜这些含碘丰富的食物，这跟"大脖子病"是恰恰相反的，这一点大家一定要注意，不要只看表面症状就擅自诊断。

既然是甲状腺功能亢进，当然肯定是分泌的甲状腺激素太多了。既然这种激素主要功能是促进新陈代谢，那么直接表现就是我们的身体处于一种高代谢状态，新陈代谢速度格外快，所以会让人变得消瘦。可是，一旦吃药，又很容易让人变胖。而且，这种肥胖是病态的，很难减肥成功，会给患者，尤其是女性患者带来很大的心理负担。

前一阵子有个女大学生来看病，让我印象很深。她是在入学体检中发现有甲亢的，老家在农村，家里经济条件也不好。为了不让父母担心，她就瞒着家里自己偷偷从生活费里省下钱来吃药。尽管生活水平很差，可原本身材很苗条的她还是变得越来越胖。

寒假回家之后，见她突然变得那么胖，父母都以为是大学生活过得太舒服了。父亲让她多干点儿活减减肥，母亲则不停地唠叨，说长这么胖，连婆家都不好找……本来已经很烦躁、很委屈的她忍不住冲母亲发了脾气，事后又非常后悔。

过完寒假开学之后，她找了份兼职做，一方面想多赚点儿钱，另一方面也想让自己更累一点儿，看能不能把体重降下来。可是她跟我说的时候眼泪都快掉下来了："我觉得累，真的不想打工，可是又不想给父母更多负担。我也爱美，本来长得还不算难看，也有男孩子追。可是您看我现在这个样子，不用我妈说我也知道自己很难嫁出去……我也不知道自己怎么会得了这种病，有时候真的都不想活了。"

看着这个女孩子，我心里也很难受。对一个年轻女孩子来说，她身上背负的压力太大了。像甲亢这种疾病，看起来似乎不那么致命，似乎只会让人变瘦、视力减退，可能患上甲亢性心脏病。可是，即便病情没有恶化到引发心血管疾病，这种病对我们生活的影响也是相当大的。由于这种内分泌系统的疾病常常让人心烦易怒，特别容易发脾气，会极大影响与家人及他人的关系。而且，得了甲亢的人工作效率会越来越低，甚至丧失劳动能力。

所以，我们要做的就是尽量注意预防，而且在刚刚发病的时候就努力把它扼杀在萌芽状态中。很多患者在发病之初没有得到及时的治疗，等到情况非常严重的时候才开始着急。可是他们只顾着着急，又不肯遵医嘱或者详细地了解这种病，以至于日常保健护理工作都做不好，再加上甲亢本来就顽固难治，所以导致久治不愈，对健康和生活的危害最后变得越来越大。

胰岛素分泌缺陷导致的糖尿病

说起糖尿病，恐怕人人都不陌生，人人都想让它离自己远点儿。可是大家对糖尿病又有多少了解呢？你是否知道这是一种内分泌系统紊乱导致的疾病？

西医把这种病叫作"糖尿病"，在传统中医里它对应的名字是"消渴症"，这个名字很形象，也就是消瘦、经常口渴的意思。大家如果对糖尿病有所了解，一定会知道它最突出的特点是血糖升高，而它的典型症状是"三多一少"，也就是多饮、多尿、多食和消瘦。大家有没有发现，它的症状跟甲亢是有点儿相似的？事实上，甲亢一直发展、恶化下去，是有可能诱发糖尿病的。但除了这些症状之外，糖尿病还有另外一个典型症状是疲乏无力、肥胖。

大家有没有注意到，消瘦是糖尿病的典型症状，怎么肥胖也是？是的，因为糖尿病分很多类型，确切来说，世界卫生组织将它分成了四种类型，而这两种病症分别是两种最常见糖尿病类型的不同表现。

但不管是哪种类型的糖尿病，它的发病根源都在胰岛素。我们可以说，这是一种胰岛素分泌缺陷疾病。有些人是因为体内分泌的胰岛素数量不够，有些人则是因为体内的胰岛素不能正常发挥应有的作用，还有些人是这两种情况同时发生。

那么，胰岛素是一种什么物质呢？它的分泌出问题了，为什么就会出现糖尿病？简单来说，胰岛素能够促进糖原、脂肪、蛋白质合成，它也是我们身体里唯一一种能够降低血糖的激素。现在大家应该可以明白，为什么缺胰岛素，体内的血糖水平就会升高了吧。

至于糖尿病的发病原因，跟甲亢有点儿像，也是因为体内的代谢不正常了。既然胰岛素的作用是促进糖原、脂肪、蛋白质的合成，那么当我们体内的胰岛素水平出问题时，就会影响这三大营养物质的代谢。一旦糖原代谢出问题，血糖就会升高；而蛋白质代谢出问题，会让免疫力低下；脂肪代谢出问题，就会让人越来越瘦。

表面上看起来，变瘦、口渴这些似乎都不是大毛病，但如果仅仅是这样，大家也就不至于那么惧怕它了。糖尿病最要命的地方在于它的各种并发症，不管是大脑、心脏、神经，还是眼、肾脏，都有可能因为糖尿病出现各种严重的并发症。而这些并发症的后果，往往是致命的，这才是它最可怕的地方。

我国的糖尿病患者已经接近1亿人了，可麻烦的是大家只知道糖尿病厉害，却没有做到人人预防、人人保健的程度，所以有很多轻度糖尿病患者因为没有及时得到治疗，让病情越来越重。所以我们还是要引起足够的重视，平时自己多了解一些健康方面的常识，对自己的身体也多一些敏感和关注，才能避免自己或家人悲剧的发生。

另外，虽然不同类型的糖尿病病症表现可能看起来差别不大，但它们的成因是不同的，所以治疗方法也有差异。这一点大家要引起注意，一定不能擅自判断，或者随意借鉴其他患者的经验。

除了甲状腺系统疾病和糖尿病之外，因为内分泌系统障碍引起的常见病还有很多，比如侏儒症、慢性肾上腺皮质功能减退症、肥胖病、骨质疏松症等，都有可能是因为荷尔蒙出问题导致的。欧美国家的人们自我保健意识比较强，他们往往不会等到有了疾病、医生要求自己补充荷尔蒙的时候才关注自身的内分泌系统。他们往往会在日常生活中，密切关注自己体内荷尔蒙的变化。这一点，是我们特别需要学习的。

第二章

－ 女 人 要 小 心 －
每个年龄都有内分泌的烦恼

　　都说女人是水做的，那是文学家的说法。可是在我看来，女人是荷尔蒙做的。虽然在男女身上都有荷尔蒙的存在，即便是雌性激素，男性身上也有。但为什么女人尤其要关注荷尔蒙水平呢？因为荷尔蒙的种种细微变化，在女人身上表现得格外突出。这其中，最受关注、对女性影响最大，并且直接决定我们的美丽与健康的是雌激素。

25 岁之后，
你会迎来第一条皱纹

我们常说，女人从 25 岁开始长第一条皱纹，之后就开始迅速衰老，所以 25 岁是女人的一道坎。为什么呢？ 24 岁的女人和 26 岁的女人有什么区别？岁月的刻刀为什么会在 25 岁的时候才对我们下手？

小心，荷尔蒙开始减少了

假如我们身边的哪个女孩子一夜之间变得光彩照人，而且没有整容的迹象，我们往往会问她："最近谈恋爱了吧？"为什么大家都说恋爱中的女人会变漂亮呢？有人说，那是因为谈恋爱了，整个人心情好，而且会更在意自己的外形，所以花了很多时间精心化妆、选衣服，自然会变漂亮。这也是原因之一，但绝对不是最关键的。

最主要的原因在于，当一个女人真的坠入爱河时，她体内的雌激素分泌量会迅速升高。在雌激素的刺激下，我们的皮肤收缩，基底层的胶原蛋

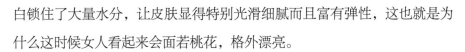

白锁住了大量水分，让皮肤显得特别光滑细腻而且富有弹性，这也就是为什么这时候女人看起来会面若桃花，格外漂亮。

但遗憾的是，从 25 岁开始，我们体内分泌的雌激素量开始下降。对绝大多数女人来说，在 21 岁到 22 岁时，内分泌系统处于巅峰状态，这是她们一生中雌性荷尔蒙分泌最为旺盛的时刻，身体的各项机能达到最高水平，因此这个年龄的女孩子最为年轻漂亮。

基本上过了 25 岁之后，女人体内的雌激素量便开始逐年递减。也许其他荷尔蒙分泌量的减少我们感觉不明显，但雌性荷尔蒙的减少，一下子就能感觉到。

在人体内，雌性荷尔蒙不仅能让我们的皮肤柔滑细腻，还能帮助身体保持玲珑有致的体形。为什么中年女人容易发胖？不是因为她们普遍吃得更多，而是她们体内的雌性荷尔蒙量不足以帮她们轻轻松松保持身材曲线，她们必须付出比年轻女孩子多几倍的努力，才可能有好身材。

那么，究竟什么是雌性荷尔蒙呢？我们主要把女性卵巢分泌的雌激素称为雌性荷尔蒙，它们对于维持女性的青春靓丽和各种生育机能起着至关重要的作用。

那么，为什么女人会从 25 岁开始长第一条皱纹？因为你的雌性荷尔蒙开始减少，而它对代谢最明显的作用是可以改变体内脂肪的分布，促进皮下脂肪沉积。所以，它能增加我们皮肤的厚度，让皮肤看起来圆润紧致，并且减少皱纹。而当体内的雌性荷尔蒙量不再能够帮你毫不费力地抵御岁月的风霜，我们光滑的面孔，就会被刻上第一条印记。它在提醒你体内发生的微妙变化，让你对自己的身体更为关注。

● 守护荷尔蒙才能守住青春

十多年前，那还是 2002 年的时候，当我看到来自意大利的凯奇博士，一位研究癌症超过 30 年的肿瘤专家在世界抗衰老会议上所做的报告时，简直如获至宝。

在他看来，人类认为自己必然要经历的衰老，原来是可以避免的。我们随着时间流逝一点点地失去青春与活力，这不是自然规律，而是一种疾病，是因为体内缺乏荷尔蒙才出现的疾病。换句话说，我们之所以会变老，是因为体内的荷尔蒙分泌不足。因此，只要我们能够找到好的途径给身体补充荷尔蒙，不但不会老，甚至还有可能返老还童。

假如这话不是在学术会议上很严肃地宣读出来，极有可能会被我们当作是疯子的无稽之谈。但身为肿瘤专家的凯奇给了我们希望，让我们知道了，只要我们体内的荷尔蒙充足，人类保持年轻漂亮、健康有活力，就不再是虚无缥缈的梦想。

只是，十多年过去了，人类并没有发明出让人青春永驻的荷尔蒙仙丹。以目前的医学水平，我们还未能研制出像自体荷尔蒙一样有效的外源荷尔蒙。现在，我们人体分泌的自体荷尔蒙，也就是身体内部自己分泌的荷尔蒙，对我们才是最安全、最有效的。因此，我们应该做的，就是帮助自己的身体分泌出足够的荷尔蒙。

该怎么做呢？我从来不提倡对身体进行过度刺激，更不主张寅吃卯

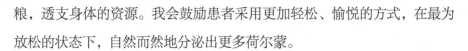

粮，透支身体的资源。我会鼓励患者采用更加轻松、愉悦的方式，在最为放松的状态下，自然而然地分泌出更多荷尔蒙。

真的存在这种两全其美的方法吗？是的。多年来，我一直是这样做的，收效也相当令人欣慰。一般来说，我会根据各位患者的具体情况分别采用以下方法：寻找一个让自己痴迷的兴趣爱好、让自己找回感动到流泪的感觉，养成正常而健康的生活习惯，用不至于反感的味道刺激嗅觉，试着谈恋爱或者寻找恋爱的感觉。千万别小瞧这些方法，不管你认为它们靠不靠谱，假如你的荷尔蒙水平不尽如人意，都可以试试看，一定会带来惊喜。

比如，一直以来，我都在努力给自己制造恋爱的感觉。结婚十多年，女儿都已经 10 岁了，我跟先生绝对称得上是老夫老妻，但多年来，我一直用心给彼此制造新鲜感，时不时地找回一些当年心动的感觉。不管是去陌生的地方旅游度假，还是在家里附近的餐馆约会用餐，我用这些方法刺激荷尔蒙的分泌，让自己保持更加年轻的心态和身体状态。何乐而不为呢？

每一个女人，都像花朵一样美丽，同时也像花朵一样脆弱，这一生，我们需要更加细心、耐心的呵护才能始终绽放得芬芳美丽。而这种努力，在我们盛放的 25 岁就要开始了。在与岁月争夺荷尔蒙的这场战争中，愿我们每个人都能赢得漂亮。

30 岁以后，
长痘不再是"青春"

　　我们医院里的小护士们，经常会找我咨询各种内分泌问题。大家都知道护士这份工作的特点，要求这些小姑娘别熬夜是废话，她们不可能做到。由于排班是轮换着的，她们经常是这周上白班，下周上夜班，然后下下周又上白班。身体呢，就在这种一会儿白天一会儿黑夜中不断调整，各种内分泌问题在她们身上表现得非常明显。

　　其中最典型的症状，要数长痘痘了。她们常常开玩笑说："长痘痘嘛，说明我们还年轻。"20 来岁的姑娘们这样嘻嘻哈哈也就算了，每当听到已经 30 多岁当妈妈了的还在这么说，我就总忍不住苦口婆心地唠叨："过了 30 岁，长痘痘肯定不是因为青春了。"这个常识她们肯定也知道，我还是不招人喜欢地指出来，只是希望她们能重视这个问题。

ⓐ "第二青春期" 是怎么来的

医生这个职业，其实是需要相当好的心态的。虽然帮每一个愁眉苦脸的患者重现笑容是很有成就感的事情，不过在工作时间，我们很少能看到笑脸，因此一旦遇到乐观幽默的患者，是印象非常深刻的。

所以那天，当这个已经不能称为姑娘的姑娘走进诊室时，我还是眼前一亮。病历显示她已经 32 岁了，可是一点儿都看不出来，因为她精神面貌特别好。尽管脸上长了很多刺眼的痘痘，也掩盖不了快乐的神采。

她跟我说："柳大夫，您也看到了，我脸上青春洋溢。我老公说：'可怜的少女太太重回青春期了。'我说：'多好，一辈子过了两个青春期，比别人都多一个。'当然这都是玩笑话，青春好，痘痘可不好。我当年青春期的时候也长过痘，那时候勤洗脸涂点儿药也就好了。可是这次不行，眼看这痘痘越长越多，我这终于坐不住了，您帮我看看怎么回事。"

我喜欢这种乐观开朗的患者，她们一般心态很好，这绝对有利于恢复健康。我也跟她开玩笑："那么，这位青春期少女，是不是每天晚上疯玩不回家睡觉？还是整天为学习成绩和隔壁班的小男生烦恼？"聊了一会儿，我可以确定她长痘痘的原因了，果然不出所料，是因为工作紧张，生活和工作压力都太大。虽然她心态够好，表面上看起来一副无所谓的样子，但实际上身体已经过度疲劳了，精神承受了很大压力。

我告诉她这是成人痘，当然你也可以叫它熟女痘，它主要是因为压力大、内分泌失调、生活习惯不好、便秘等因素引起的。她听完我讲述病因，不停地点头称是："我这段时间刚刚升了主管，工作确实比较忙，压力也比较大，经常是不得不熬夜，睡眠不大够，幸好我身体一向底子不错，还能撑得住，不过看样子荷尔蒙已经抗议了。"

成年痘往往总是这样，30多岁的女性，不管是事业还是家庭都处在一个压力相当大的状态，本身就非常容易出现荷尔蒙失衡。假如再长期熬夜或是过度劳累，为了对抗越来越多的压力，肾上腺就会分泌出一种荷尔蒙，它跟雄激素有点儿相似，长痘痘也就不奇怪了。

既然压力是肯定存在的，我们客观上很难改变，那能调整的只有心态和作息了，所以我给她的建议是："咱们的好心态啊，得继续保持。痘痘不算什么，坏心情可就更麻烦了。不过呢，工作再忙，也尽量不要熬夜。早晨可以晚点儿起床，但晚上尽可能别睡那么晚。还有饮食上也稍微注意点儿，太甜、太油、太辣的食物和海鲜少吃点儿，做好防晒，这都能让痘痘不那么猖獗。"

一般来说，30岁以后长痘痘，大都是因为内分泌失调，诱因是生活作息、工作压力、饮食不当等。为了不让"第二青春期"出现，我们平时在工作和生活中，还是要放宽心，尽量不要给自己太大压力，努力让体内的荷尔蒙保持平衡，这样才能让皮肤回到应有的平滑状态。

痘痘长在哪里，药就下在哪里

30岁女人脸上的痘痘，和20岁少女的痘痘是不同的，虽然它们的成因各种各样，但显然有一个共同点，那就是，都跟身体状况有关，而不再像少女那样，可能只是因为荷尔蒙或者油脂分泌过剩才长痘痘的。所以，假如你已经年近30或者30多岁，脸上长痘痘的时候，就不能懒得理它，也不能随便乱擦药。我们先得根据长痘痘的部位判断一下到底是怎么回事，再想办法消除痘痘。

我们从上到下来看脸上的痘痘，先来说长在额头上的。如果你的痘痘只长在额头上，它在提醒你，最近生活作息是不是太不规律了？不管是加班还是熬夜还是失眠，总之肝脏累积了过多毒素，已经严重内分泌失调，所以才在额头上长出很多痘痘。对付这种痘痘，除了要用舒缓镇静的药物安抚痘痘之外，最关键的是要改变眼下的作息时间，一定要努力保证睡眠质量。

假如你的痘痘不是长在额头，而是在眉心，也就是印堂的地方，那么一定要引起注意了。要知道，这里长痘痘常常是在警告我们心脏有问题了。假如你最近真的有胸闷、心悸的情形出现，还是建议你去医院做个检查，因为这些都是心脏活力减弱的表现。

如果是鼻子两侧冒出痘痘，往往说明你胃火比较旺盛，或者最近消化不大好。一般来说，经常便秘的姑娘，就很容易在鼻子周围长痘痘。所以，这时候姑娘们就要注意忌口了，少吃刺激性强的东西，尽量把胃火降下去，痘痘也就慢慢平复了。

如果是嘴巴周围长痘痘，这说明肠道有问题了。所以，鼻子周围长痘痘的，嘴巴周围也往往不能幸免。所以，清肠降火排毒才是对付这类痘痘的关键。

还有很多人，每个月在大姨妈来之前都会长痘痘，那些痘痘又大又红又硬，一般都是长在下巴上的，有时候脸颊上也会有。一般来说，这样的姑娘对体内的荷尔蒙变化更加敏感，所以容易长生理期痘痘。对付这些痘痘，我们一定要足够温和。每次大姨妈快来的时候，别给皮肤猛补充养分了，它根本吸收不了，这时候你的皮肤既敏感又脆弱，所以不管是清洁还是保养，都要注意用一些适合敏感肌肤的产品。总之，一定要对它足够温和。

有些姑娘的痘痘长得满脸都是，当然主要集中在鼻翼两侧、额头、下巴和脸颊上，尤其是连发际和眉间也有，这往往是因为卸妆不彻底。不管是粉底还是腮红，这些彩妆如果不能彻底卸掉，非常容易堵塞毛孔，当然就很容易长痘痘了。对付这种痘痘，关键当然是要把妆卸干净。下班回家不管多晚多累，也一定及时卸妆。而且，因为已经长了很多痘痘，所以卸妆产品也要注意使用那些既有很强清洁力又比较温和的类型。

还有一部分姑娘，她们"上火"之后会长痘痘。比如说，今天晚上吃了水煮鱼或者麻辣香锅，明天早上脸上一准儿冒痘痘，有时候长在脸颊上，有时候长在嘴角，位置不确定。这显然是因为食物刺激皮肤了，皮肤受到刺激后分泌了太多油脂，也就长痘痘了。这时候我们只能亡羊补牢，管住自己的嘴巴，尽量清淡饮食，而且一定要多喝白开水。

此外，还有一些人是这种情况：她们出差或者寒暑假或者外出旅游，总之就是换了一个环境之后，会出现月经不调，同时脸上也长痘痘。很明显，这是因为身体的内分泌还没调整到平衡状态，当然也因为我们的皮肤比较敏感。对于这么敏感的皮肤，我们只能根据环境来细心呵护，根据新环境的气候选择合适的护肤品。等皮肤慢慢适应，痘痘也就消停了。这时候不建议大家乱擦各种药膏，它们通常只会给原本已经很敏感的皮肤增加更多负担。

虽然不同部位长的痘痘原因不一样，治疗方法也不一样，但对付它们有两个共同点，一个是养成良好的生活习惯，比如不用手摸脸，经常换洗床单、枕套、毛巾等，少吃甜食多运动，等等。除此之外，还有一个共同点，那就是保持好心情。一个轻松乐观的状态，任何时候，对任何疾病都有治疗作用。所以，不管脸上的痘痘让你多烦，都尽量要心情愉悦。相信我，这样才能帮你更早告别痘痘。

保养卵巢，防止"未老先衰"

女人最怕什么？变老！尤其是没有老的时候显出了老的状态。

我曾经遇到一个刚刚 30 岁出头的患者，在单位是部门的骨干，在家是贤惠的妻子，里里外外操持着一切。可慢慢地，她开始明显感到不对劲，不仅月经不调，还常觉得气力不支，上班无精打采。在镜前打量自己，分明觉得脸色萎黄、皮肤松弛，生出了明显的鼻沟纹和抬头纹，整个人看起来比实际年龄老了许多。

"大夫，我感觉好像一夜之间，人就老了。以前加班加出黑眼圈，气色差，在家简单敷个面膜，睡一觉就恢复了。现在去美容院也不奏效。难道女人一过 30 岁，就真的无药可救地衰老了吗？"她一来就不停地向我诉苦。

其实，这种烦恼并不是她独有的，我接待了很多类似情况的女性患者。实际上，这种感觉上的衰老很可能是一种误区。近年来，因为越来越大的工作压力，以及由此带来的心理压力，加上外界环境变化，身体在某段时间过度劳累等原因，越来越多年龄在30～40岁的女性感到衰老加速，比如有的女性甚至在30岁出头就出现闭经的症状。

究其原因，这多数与中年女性承受的过重负担有关。她们在家是"总管"，在外是骨干，家庭和工作的重负使身体出现了"超限损耗"，这使得人体内的一些器官细胞过度疲劳，进而导致了女性青春活力的丧失，以及皮肤的老化。但这时候表现出的衰老，其实是一种"假性衰老"，是可以逆转回来的。用现在流行的话说就是"逆生长"。

那么，该如何才能"逆生长"呢？30～40岁的女性，如果感觉非常疲惫，身体明显走下坡路，出现妇科方面的失调症状，不要简单地以为是衰老而掉以轻心或者忧心忡忡，应该立刻到医院进行身体检查，排除患有其他疾病后，就要考虑早衰的可能。

我经常对有这种困惑的患者说，最重要的是保养好你的卵巢。女性的卵巢功能从35岁就开始走下坡路，卵巢功能衰竭了，雌激素分泌不出来了，更年期就到了。

很多人错误地以为，卵巢只是形成卵子的器官，其实卵巢的重要作用是生成雌激素。卵巢出现衰老，雌激素分泌必然减少，与之对应的就是女人的皮肤、精力、身体状态都会出现不同程度的衰老。所以，保养卵巢是30岁以后女性要格外注意的一件事。

保养卵巢最重要的方法是多吃含叶酸的蔬菜。蔬菜中有种物质叫叶酸，怀过孕的女性可能都知道，补充叶酸能防止胎儿出现畸形。叶酸是一种水溶性的维生素，常被称为"造血维生素"，它能够有效地帮助身体制造红细胞，对预防卵巢衰老有很好的帮助作用。瑞士医学家曾经做过一项实验，他们发现经常吃富含叶酸蔬菜的女性，其发生卵巢癌的概率比很少吃含叶酸食物的女性将减少74%。含叶酸比较多的蔬菜有菠菜、油菜、小白菜等绿色蔬菜，其实都很方便买到，种类也不单一。

除了吃富含叶酸的蔬菜以外，保养卵巢还可以采用运动的方式，例如户外慢跑或瑜伽、跳舞等。因为当你的身体处于运动当中时，你体内的血液流通和新陈代谢就会加速，卵巢也会随之受到相应的照顾。

另外就是在生活中对自己要求低一点儿。我接触的大多数30多岁的职业女性，责任心比较强，总想"忙过这一段再放松"。这种想法一定要改，因为身体疲劳是有承受度的，可能挨过这一段时间就难以恢复了，进行心理和身体的放松是等不得的。

40 岁开始，
女人会加速衰老

　　40 岁的女人总是有点儿尴尬。与年轻人相比，少了份激情与纯真，多了额头细密的皱纹；与老年人相比，少了岁月的沉淀和历练，多了一些浮躁和轻狂。当年旗鼓相当甚至还不如自己的男同学，如今事业有成，意气风发，而自己却因为年龄的增长，身体各项素质都每况愈下而黯然惆怅。

为什么更年期会提前

　　我有个患者今年刚好 40 岁，因为总是感觉头昏脑涨，出虚汗，睡眠质量很差，还总是心浮气躁，容易发怒，特意来医院找我看门诊。很显然，她是典型的内分泌失调患者，衰老得严重：脸色暗淡无光，皮肤松弛，两颊布满了色斑，身材又有明显的发福，而且头发也几近花白，整个人也没有什么精气神儿，完全看不出来是只有 40 岁的样子。

跟我描述完病情之后，我问她："你的月经量怎么样呢？"她跟我说："最近总不定期提前，而且量很少。"月经是内分泌的信号灯，看来，这位患者的确是内分泌失调了。

从生理角度来说，这位女士的情况很好理解，女性从 25 岁开始，荷尔蒙就开始减少，30 多岁容易紊乱，到了 40 岁，荷尔蒙减少得厉害，女人就开始加速衰老。所以出现这样的情况，也并非偶然，只不过，这位患者应该是 30 多岁的时候没有注意到内分泌的问题，显然她比一般女性衰老得更多。

女性在进入 40 岁后不但身体机能和身体素质明显下降，而且随着卵巢功能的逐渐走向衰退，体内雌激素和孕激素的分泌也会逐渐减少乃至消失，伴随着就会出现诸如浮肿、胸胀、胸痛等不适反应。其实这个趋势从 30 岁左右就开始了，而 40 岁则是一道"坎儿"。一旦调理不好，就会导致更年期提前，甚至会造成子宫内膜异位等妇科疾病。

和她沟通了一会儿，我发现这位患者最近在工作中压力很大，生活也很不规律，而且经常熬夜看报告。显然，她是那种要事业不要健康的"主儿"，这可不行啊。我和她说："你是典型的内分泌失调，如果你再不调整身体，更年期很可能提前。"

听完我的话，她显得很焦虑，立马问我："柳大夫啊，您看，我该吃点儿什么药呢？"我对她说："你先别着急，我也是从 40 岁这个坎儿过来的，现在要做的就是调节内分泌，药物的辅助治疗是一方面，重要的是你要让自己适应年龄带给你的身体变化！"她被我说得一头雾水。

很多患者来医院，都爱问"我要吃什么药""什么药管用"，其实在我看来，有些时候我们自己在心态、生活上的改善，比吃药更见效！大多数的女人到了 40 岁这个年龄，或多或少都会发现，自己的魅力正在逐渐丧失，自信心也随之减少，甚至心态都完全变形了。

我常常和她们讲，并不是你一个人这样，女人到了 40 岁这个年龄，本身就是雌激素减少得厉害，而且家里、单位一堆事，更容易加速自己的衰老。你越是觉得自己老了，你的身体就会老得更快，心情更糟糕，典型的恶性循环。

所以，聪明的女人要学会接受这种变化，要让自己在 40 岁的时候尽可能地调理好身心，把心态放稳了，心情好了，生活健康了，这比吃药管事儿！

现在不补钙，10 年后骨质疏松

钙是人体内含量最多的元素，也是人体最容易缺失的元素。人体的钙 99% 存在于骨骼和牙齿中，还有 1% 存在于血液中。钙又被称为"生命中的钢筋混凝土"，一旦缺钙，对身体起支撑作用的钢筋混凝土便松垮了，人体免疫力自然下降。尤其是随着年龄的增长，还会造成骨质软化、疏松等疾病。由于骨质疏松与雌性激素分泌密切相关，人到中年缺"钙"了，这种现象在女性朋友中尤为常见。

有一次我给一位患者做复查，这位患者今年 55 岁，刚绝经了两年，总是感觉心烦气躁、胸闷气短。跟她聊完病情，做完初步检查后，我问她最近感觉怎么样，她跟我说："柳大夫，这几天我一直腿疼，感觉骨头关节处一阵阵地酸疼，背后还老阵阵发凉。去骨科检查，医生说我重度骨质疏松了。"

雌激素对骨代谢起着重要的调节作用。女性在过了40岁以后，由于雌性激素分泌量减少，对成骨细胞的刺激减弱，导致骨吸收平衡失调，从而导致骨密度减低，临床上就表现为骨头脆性增加、易骨折、骨密度减少等骨质疏松症状。而缺钙又会降低软组织的弹性和韧性。女性的皮肤因为缺乏弹性而显得松垮，眼睛因为晶状体缺乏弹性而老花，从而加速衰老。

这个现象在绝经后的女性中尤为常见。绝经后女性由于卵巢功能衰退，雌激素减少，从而导致甲状旁腺功能亢进，降钙素分泌不足，导致骨吸收大于骨形成，这也是造成这位绝经两年后的患者骨质疏松的主要原因。

而这位患者绝经两年，就表现为重度骨质疏松症，说明她之前"钙库"的贮存量不足。我们人的骨钙含量是一个先增加再减少的过程，一般来说35～40岁是骨钙含量最高的阶段，40岁以后骨钙逐渐流失，部分女性朋友就出现骨质疏松的病症。因此补钙是预防骨质疏松的重要举措。补钙要趁早，以免"老来受罪"。40岁以前一定要补好钙，既然我们的骨钙注定要减少，我们何不给自己体内的"钙库"一个高高的峰值呢！

经常有女性朋友问我："柳大夫，我看到广告的一款补钙产品，您说会有效吗？""柳大夫，广告里说的沉积好，吸收快，什么意思啊，是不是颗粒越小，越容易吸收啊？"

　　如今，补钙产品琳琅满目，补钙广告更是铺天盖地，常常让女性朋友们晕头转向。科学补钙，不能够一味听信广告宣传，最好的方式就是通过改善饮食结构，从天然食品中获取足量的钙。而牛奶就是一个非常不错的选择。每100克鲜牛奶中含钙120毫克，也就是说如果你每天喝一袋250毫升装的牛奶，就能补充300毫克的钙，而如果每天喝一袋500毫升装的牛奶，就能补充600毫克的钙。再配合日常均衡的膳食，就能够起到很好的补钙效果。而且牛奶对女性调节内分泌也有一定的作用，一定程度上起到促进钙吸收的作用。我常说"经常喝牛奶，健健康康补钙，安安心心抗衰老"。

　　上面所说的大多是针对40岁之前"趁早"补钙的女性朋友，女性过了40岁，雌性激素降低造成骨代谢能力降低，尤其是已经患有骨质疏松病症的女性患者，就应该在合理膳食的同时，服用一些钙营养品。同时配用一定剂量的维生素，防止钙质流失，提高肠道吸收钙的能力，促进骨代谢和骨形成。

　　女人40岁以后，就会开始加速衰老，体内的雌性激素分泌也会越发不给力，因此40岁以前的保养很重要。40岁以后，内分泌的变化，使得女性骨量急剧变化，骨质疏松的发病率也提高，为维护中老年女性的健康，让她们"安享晚年"，趁早补钙是关键。

50 岁左右，
小心更年期综合征

"别跟她计较，她更年期。"听完这个话，不知道女性朋友是什么心情，反正我心里很不好受，更年期本来是女性衰老过程中的一个正常阶段，现在已经成了一个贬义词。那怎样让更年期影响我们的生活少一点呢？

 无法控制的"暴脾气"

说起更年期，我遇到过一次有意思的事情，那是去年过年回老家，表姐比我大 10 岁但是关系一直很好，正好我过去找她的时候赶上他们同学聚会。因为我的职业，他们的话题自然就聊到了女性健康上，又是 50 岁出头的年纪，聊着聊着就聊到了更年期的话题了。当时表姐有个老同学说起他爱人很困惑，他爱人在年轻的时候，脾气一直很好。可到了中年以后，脾气越来越坏。按说朝夕相处二十多年，就应越是老了越应互敬互谅，可她却像变了一个人，不但疏于家务，而且经常喜怒无常，善于挑剔。

他这一说可引起了好几位同学的共鸣，个个一脸的无奈。有一位摇头叹息道："过去，我的那位脾气多好啊，说话柔声细语，听着都舒坦。可最近几年，她动不动就发火。她这是怎么了？老了老了，倒还长了脾气。"

看着他们个个都在倒苦水，我既无奈又欣慰，无奈是女性在衰老过程中都会经过更年期这个阶段，而欣慰是因为他们都发现了自己爱人与平时不一样了，能够把这事放到心上来问我。其实认真调理，更年期的影响可以不必那么大。

女性到了50岁左右的时候，都要经历更年期的阶段，更年期的出现，主要由生殖器官和内分泌功能发生改变所致。俗话说"人生一世，草木一秋"，花草树木有荣就有枯，人的身体也是如此。岁月过得多快呀，正还记得年轻时的风华正茂，猛回头，却发现已是残年。50岁上下的女性也不可避免地要走过更年期的历程。

在更年期阶段，女性有许多外在的表现，最重要的就是脾气变得越来越大，一些别人认为根本不值得发火的事，她也能大发雷霆，或阴沉着脸默不作声，弄得丈夫无所适从。偶尔想回击，长大的孩子马上将老爸拉到一边，悄声说："我妈到了更年期，您就谦让着点儿吧。"但也有不谦让的，弄得家庭中"火药味"十足，甚至还有闹上法庭要离婚的，看来"两口子打架不记仇"也是有限度的。如果闹到这种程度，多么不值得呀。

那么，女性如何判断自己进入更年期了呢？除了情绪上的变化以外，还有一些身体上的变化。具体症状为月经紊乱，月经间隔时间长，行经时间短，经量减少，然后慢慢停经；或者月经开始不规则，如月经时间长，经量多，甚至表现为阴道大出血；或者月经血淋漓不断，从正常的5~7

天变为半个月甚至更长，甚至刚停经几天就又来了月经，之后月经次数逐渐减少，直至停经；当然，也有的女性是突然停经后就再也不来月经了。绝经是女性进入更年期的重要标志。

除了月经的变化之外，进入更年期的女性还有胸部、颈部及脸部突然有一种热浪向上扩展的感觉。同时，上述部位的皮肤发红，并伴有出汗。也有女性过去月经期无任何不适的感觉，却在更年期的月经来临前，出现乳房胀痛、失眠多梦、头痛、腹胀、肢体浮肿等症状。

更年期的早晚与家族的遗传、初潮的早晚有一定的关系。另外，与人的精神状态、生活水平的高低、社会因素和环境因素、疾病等有一定的关系。

跟表姐的这些老同学介绍完更年期的知识，他们一个个如梦方醒：看来老伴的不近人情，全是更年期闹的，以后还真得多体贴、多谅解老伴才是。而且都要回家把我讲的更年期知识回去讲给老伴听，让她也明白一些，尽量地克制一下更年期的情绪变化。互相谦让，让两个"巴掌"拍不响。

更年期要适当补充雌激素

如何才能顺利度过更年期？答案是应该尽早、规范地补充雌激素。而最佳治疗时间为 50~59 岁，我们一般称之为"窗口期"。如果错过这段时间的治疗和调理，对身体的伤害是不可逆的，即便补充雌激素能够延缓骨量的丢失，但由于骨质疏松已经形成，健康风险已然存在，花费也将是极高的。

另一个关键词是"规范"。我在接诊每一个患者时，首先判断患者是否真正绝经了，并且处于绝经的哪个状态，然后再询问患者的疾病史，之后会建议患者去做一个全面的体检。确定处于更年期且没有禁忌症后，才会详细建议健康的生活方式，根据患者情况给予合适剂量的雌激素补充。

而且并不是来看一次医生就万事大吉了，患者在前3个月内需要每月复诊一次，看看是否解决了近期问题，以及所用药物是否合适。第二个阶段是在接受治疗半年左右时复查一次，不需要做特别检查，主要是看看更年期早期症状是否消失。下一个阶段就是一年后重新体检，如果发现健康风险及早治疗。之后可每年体检一次，复查一次，要等医生确定停药才能停。

除此之外，在平时饮食上也要多注意，我自身也处在更年期的年龄阶段，有一些饮食方面的心得可以分享。我每天都会吃几颗大枣，大枣里面是含有很多的像磷酸酰苷这一类的成分，它可以调整我们的内分泌功能，还有养血、润燥、养心的作用。此外，烦躁的时候也可以多吃一些百合、莲子，这些食物都有养心、安神还有解忧的作用。

比如烦躁的时候，我就会煮点儿百合羹，或者晚上睡觉的时候，喝点儿百合小米粥，对促进睡眠是非常好的。因为小米粥含有丰富的色氨酸，可促进睡眠。把觉睡好了，烦躁情绪也会减轻。

更年期阶段要少吃刺激性强的食物，辛辣的东西也要少吃，还要控制体重。30岁以后，雌激素的水平就开始走下坡路了。随着雌激素的减少，脂肪的合成增加了，我们的体重也增加了。所以这个时候我们要少吃脂肪含量高的食物，少吃含胆固醇的食物，以免引起冠心病的发生。

更年期是每个女人的必经之路，了解得多一点儿、准备得充足一点儿、对自己多照顾一点儿，真的能使自己安然度过这个特殊的阶段。当你准备充分，你就会发现，更年期其实没那么可怕！

令人担忧的性早熟
——送给父母的忠告（1）

　　我们再来说说小女孩的事儿。每年只要暑假一到，我们妇科内分泌科室里前来看病的小患者数量会陡然增加。为什么呢？平时小孩上学时间紧、功课繁忙，爸妈们都趁着暑假带孩子来医院咨询一下健康方面的问题。来我们科室的小患者，主要是来看性早熟的。

　　性早熟这个词不难理解，简单来说就是孩子性发育的开始年龄明显提前，第二性征的出现，比如女孩乳房发育、月经来潮，男孩外生殖器官增大，时间上较同龄孩子提前很多。目前全世界普遍认为，女孩在 8 岁以前出现第二性征（乳房发育），或 10 周岁前月经来潮，临床上就可以判断为性早熟。

 生长发育不要追求"拔尖"

　　大多数家长可能都觉得，现在的生活条件好了，孩子生长发育快，发育时间比我们小的时候提前，是挺正常的事。这种观点在一定程度上是对的，现在的小孩，10 岁、11 岁来月经也是正常现象，家长发现自己孩子不到 12 岁就来月经了也不用慌张。但不用慌张不代表可以粗放式地养育孩子，第二性征发育和月经来潮是女性身体发育的标志性事件，应该引起家长们的重视。

如果孩子性早熟，那么生长过猛的个子和渐渐隆起的胸部，会让孩子和同龄小孩相处时有距离感，甚至产生自卑心理。一旦发育得过早，被确诊为性早熟，家长还要对孩子进行心理疏导，必要时寻求医生的帮助。

如果孩子不是性早熟，只是发育较快，这个时候家长也应该引起重视。月经来潮时间早，意味着绝经时间也可能较早，有效的生育年龄就相应缩短了。而且，月经来潮的时间早晚和孩子的最终身高有密切关系，因为，初潮来临说明这个孩子的身高加速期已过，接下来孩子的身高只会有缓慢增长。发育历经两三年，发育停止后身高增长也就停止了。据统计，月经来潮后发育的这两三年，女孩子的身高平均增长一般只有 5~7 厘米。

所以，如果恰巧母亲这边的女性亲戚，绝经时间跟同龄人相比不具有优势，或者你们觉得孩子现在还不够高，对孩子以后的身高还有蛮大的期望，那发育较快对你们家来说就算个事儿，赶紧上医院寻求医生的专业建议吧！

● 区分真假性早熟

我们身体的生长发育是一个不可逆转的过程，孩子长大了就不可能再变矮重新长高，就好像孩子的学习成绩不如你意，你也只能耐心教育，用爱心浇灌孩子，让孩子慢慢成长，而不能把孩子塞回肚子里重新生一个称心如意的孩子出来。正是这种不可逆性，让来到我诊室的家长心情跌到谷底，原本以为自己的孩子长得比别的孩子快，在人生的跑道上冲到了前面，没想到一下子后劲都没了，以后的人生比赛还怎么比！

每次遇到这样悲伤的家长，我都会宽慰他们："你看我个子也不高吧？但我的学习成绩也还可以啊，找的工作也还不错，家庭幸福女儿优秀，所以身高不是最重要的，矮点儿也没关系。最重要的是，我们应该先给孩子做一下检查，看孩子是真性性早熟还是假性性早熟，如果是假性的话，我们还可以采取措施阻止孩子性成熟的进展，抑制骨骺过早闭合，这样就能改善孩子的身高了。"

一般悲伤的家长们对我前半段的宽慰之话都不会太在意，但听到"假性""阻止""抑制"这些字眼，都会立马两眼放光，跟重获新生似的让我赶紧检查、赶紧采取措施。那究竟什么是"真性性早熟"与"假性性早熟"，两者又有什么区别呢？

"真性性早熟"也叫中枢性性早熟，之前我们提到过人体内分泌三大支系中，其中一个是下丘脑—垂体—性腺轴，这条轴是控制人体性激素分泌的一个分支。如果这个支系的功能提前被激活，就会导致性腺发育及功能成熟，与正常青春发育成熟机制完全一致，并且有一定的生育能力。而"假性性早熟"又称外周性性早熟，这个是指受到人体以外的因素刺激，导致人体激素水平升高，促使人体的性征提前发育，但并没有生育能力，所以称之为假性性早熟。

相信我这段话里面的术语看得很多人都头疼了，那大家只需要记着这个就好了：真性性早熟和假性性早熟的根本区别是有没有生育能力。

当然，对那么小的孩子来说，我们也不关心她的生育能力，只关心到底应该怎么办，假如是真性的应该怎么办？如果是假性的又该怎样控制？

假如是假性性早熟，我们只要排查出原因，并不需要做什么特殊处理。只要不让孩子接触那些外源性刺激，过了一段时间之后，这些症状都会自己逐渐消失的。

如果被确诊为真性性早熟，也不用有天塌下来的感觉。我做了这么多年妇科内分泌的医生，也见过不少这类患者，只要积极配合医生进行治疗，改善最终身高的希望还是很大的。

凡事都不是绝对的，只要在以后的人生中善加调理，性早熟的小孩最后也可能晚绝经，也可以长到满意的身高。而那句熟悉的台词，用在受情绪影响极大的内分泌上是再恰当不过的了：哪，人生哪，最重要的就是开心啦！

把假性性早熟扼杀在萌芽状态

"假性性早熟"刚才我们提到过它的概念，它的原因有病理性的，也有外部因素刺激所导致。

病理性因素最常见的有卵巢滤泡囊肿。青春期前的女孩，卵巢内可有一些自发发育的卵巢滤泡，这些滤泡会长大并分泌一定量的雌激素，这些雌激素会促使女孩第二性征发育。这种卵巢滤泡在 B 超检查时会显示为囊肿，由于 B 超检查无法看出是真的病变性囊肿，还是只是生理性的一个正常物质，导致大多数家长一听到"卵巢囊肿"四个字就感觉晴天霹雳。小小年纪就得了卵巢囊肿，以后的日子可怎么办啊！

其实，青春期前女孩的卵巢囊肿，几乎都是生理性的，通俗点儿讲就是卵巢上只是长了个小泡泡，从 B 超检测来看这个小泡泡像是个囊肿。随着时间的推移，这个小泡泡会逐渐变小，进而消失，并不会对身体造成什么大的影响。唯一外在的影响可能就是会促进第二性征发育，但这种影响是一次性的，滤泡长大、激素升高，突然刺激到了第二性征，于是有了一点点发育，随着滤泡变小，激素的刺激就没有了，第二性征没有了动力，也就不会发育，之前隆起的乳房也可能会消减。

这种病理性的假性性早熟，大众看到的并不太多，对它的了解也很少，通常我们看到最多的性早熟事件都是新闻上报道的"4 岁女孩胸部发育，5 岁女孩来月经"这样耸人听闻的事件。大众习惯性地将这些事件的原因归结为环境污染，丧尽天良的商家制造的各种有毒害食品，或者某种食物中的添加剂。

做了 20 年妇科内分泌医生，我确实经常感叹人体内分泌的神奇，内分泌方面的问题，我们还有太多的未知领域，还有太多的事情我们无法给出合理的解释。所以，在幼女发育这件事上，我从来不敢轻下断言说究竟是吃坏了什么东西，还是遇到了什么事情造成了这样的现象。唯一可以肯定的是，如果没有器质性病变导致雌激素升高，那肯定就只能是外源性的雌激素导致的发育，至于雌激素来自何处，那就要慢慢条分缕析了。

比如，这个原因可能来自妈妈。妊娠期妇女继续哺乳，母乳中过多的雌激素可能会导致幼儿发生性早熟。所以，考虑生二胎的妈妈们，最好计算好两胎之间的间隔时间，不要因为怀孕耽误了头一胎的母乳喂养。如果哺乳期间意外怀孕，给第一胎戒掉母乳不仅是为小孩考虑，也是为孕妇考虑，因为哺乳可能引起宫缩，强烈的宫缩有可能导致先兆流产。

这个原因也可能来自孩子本身。假如儿童误服了含雌激素的药品、营养品或接触了含雌激素的化妆品，如果雌激素的量达到一定程度，是会引起第二性征发育的。临床上这类情况并不少见，妈妈经常化着妆亲吻女儿，导致女儿胸部发育、乳晕变黑，或者小女孩偷吃了妈妈的避孕药，导致月经来潮，这些情况我们都是见过的。这就要求照顾小孩的家长们要把家里的药品收纳好，除了避孕药，小孩误吃了别的药也是有危险的。同样，妈妈们的化妆品也要收好，照顾小孩的时候尽量就别化妆了，浓妆艳抹也失去了与孩子最自然贴近的亲肤乐趣。

还有一个可能性很大的原因，来自我们吃的食物。新闻上大家经常可以看到，饲养厂为提高产量就给饲养的动物喂避孕药，虽然不知道这些说法是不是真的，但目前的食品安全和环境问题确实会让人忧心，不知道哪天就吃到了不好的东西。针对这个问题，除了预防，没有更好的方法了。父母给孩子选购食物时，尽量去有质量保障的地方买，小孩吃的食物做好记录，这样一旦出现过敏甚至更严重的身体变化，医生也有据可查。一般过敏和食物导致的性早熟，只要停止食用这些食物，身体就能恢复。但前提是我们要做好记录，这样才知道究竟是哪种食物有问题。

另外，营养品也不要乱给小孩吃，一来营养品的安全性不一定有保障，二来只要均衡饮食，食物提供的营养就足够小孩的生长发育了，没必要再做额外的补充。如果吃了营养品导致孩子发育过快，甚至性早熟，那就得不偿失了。

最后还有一点我想要提醒年轻的爸爸妈妈们，一般孩子长到八九岁的时候，可能会拒绝你与他（她）过度亲密了，我们对孩子的身体变化不一定能第一时间感知。比如，男孩子性早熟的征兆非常隐蔽，早期的表现是阴囊和睾丸增大，接着会出现阴毛、精囊和前列腺的发育。可问题是这些部位比较隐私，特别容易被忽略。当我们发现孩子开始长胡子、有喉结、长青春痘时，往往已经到了第二性质发育的中后期，这时候再看医生，效果肯定没有在一开始就采取措施来得好。

那么，面对这种情况我们该怎么办呢？一般我会建议大家密切关注孩子的生长发育情况，比如在洗澡的时候观察孩子的乳头有没有隆起，色素有没有变深，包括有没有出现阴毛，等等。如果发现有性发育异常的征兆，就要及早就医。

如果孩子已经拒绝你帮忙洗澡，那么这时候，父母除了要更加留心孩子的外貌体征，还可以把一些基本的生理卫生知识教给孩子，让他们对自己的身体更加了解，密切关注自己的身体变化，这样一方面有利于及早发现性早熟的症状，另一方面也有利于孩子进行更有效的自我保护。

不可忽视的发育迟缓
——送给父母的忠告（2）

看完上一节性早熟的内容，不知道父母们会不会捏一把冷汗，发育早居然可能有这么多隐患，那我们孩子发育晚点就晚点吧，个子小点就小点吧，反正长得太快也不见得是好事。如果父母们这样想的话，那我又要忍不住泼一下冷水了：发育慢了也有问题，也得看医生！俗话说水到渠成，在对的时间发生该发生的事是最好的了，这个对的时间就是平均年龄，或者在平均年龄的左右半年到一年。

 青春期延迟是怎样发生的

我们这里讲到的"发育慢了"，医学上称作青春期延迟，顾名思义就是青春期延迟到来，第二性征的发育比同龄孩子晚很多。通常情况下，女孩13岁以后还没有出现乳房发育，或者15岁时仍然没有月经初潮，再或者乳房发育后两年还是没有月经来潮，只要符合其中一项，临床便可判断为发育迟缓。

孩子进入青春期，身体开始发育，但身体的发育并非生殖系统的独立事件，而是全身性的变化，这些变化受到全身健康状况的影响，比如营养不良、过瘦、过胖等，都会对孩子的发育造成影响。

跟性早熟一样，发育延迟也有体质性（特发性）的原因。特发性的发育延迟，是说女孩 13 岁后仍未进入青春发育期，做了各种检查之后发现孩子身体是健康的，没有病理性原因存在，只是生长激素检查为青春期前水平。

那么这种情况，原则上医生会建议家长期待治疗，也就是不做任何特殊处理，再观察一下孩子的情况，等待身体自然发育。一般情况下，经过一段时间的观察后，特别是当骨龄达到相应的年龄后，孩子自然会开始正常的青春期发育过程。

另有一小部分孩子的发育延迟是病理性的，如中枢神经系统疾病导致的，或者慢性病、营养不良、甲状腺功能低下等导致的功能性促性腺激素减低等。这类情况，在医生的帮助下都能或早或晚地解决发育延迟的问题。最怕的是，发育延迟既不是体质性的，也不是病理性的，而是生理缺陷导致的。

● 发育延迟或隐藏大问题

带孩子来看发育延迟的家长没有带孩子来看性早熟的家长多，一来是因为家长们觉得发育晚点儿影响不大，总归是会发育的；二来是家长们没有意识到发育延迟背后可能隐藏着别的问题。在这些家长中，有一位妈妈给我留下了特别深的印象。

那天我出门诊，外边下着大暴雨，所以当天不像平时门诊那样爆棚，很快就看到了最后一个患者。进来的是一个收拾得干净利落但精神状态不太好的妇女，整个医院，除了产科，要想见到欢天喜地的患者估计是很困难的。我一问，她 40 岁了，有一个女儿，再一问病情，她说有点儿月经不调，一问来的时间和量，挺正常的啊，没有不调啊。她又说最近感觉下身有点儿不舒服，不知道是不是有炎症，我说那上检查床我给你做个妇科检查吧。她又推说不用做检查了，太麻烦医生了。

我一头雾水，那她又排队又挂号的这是要查什么呢？诊室里的气氛有点僵住了，她好像下了很大决心似的，终于又开口了："柳大夫，我其实没什么病，我主要是想来咨询一点儿事情，我知道您给患者看病的时候我也没法进来打扰您，也只有挂一个您的号亲自来问问。"我看离中午下班还有点儿时间，诊室外面暂时也没有排队的患者，我就说："那好吧，大下雨天过来也不容易，现在这里就我们俩了，你有什么问题就说吧。"

原来，这位妈妈是来咨询跟她女儿相关的事的。她女儿今年 13 岁了，但长得瘦瘦小小，一点儿发育的迹象都没有，她说："我小的时候 12 岁就来月经了，我的胸部也不算小，生孩子之前也有 B 罩杯，但我女儿现在完全就是个"飞机场"，从遗传的角度讲好像不太应该吧？我家女儿从二年级以后就不让我给她洗澡了，我每次都是趁她换衣服或者出去游泳的时候观察她有没有发育，但真的是一点儿发育的迹象都没有，乳头都平平的，就跟男孩子的一样。"

看得出来这是一位细心的好妈妈，我安慰她道："发育延迟这样的情况虽然不是特别常见，但也不少见，你给孩子做一下思想工作，然后带她来医院检查一下不就什么都清楚了嘛。如果是体质性的，我们可以期待治疗，再等等看，说不定过两年孩子自己就开始发育了，现在的担心也就是多余的了，如果……"

但她好像完全没有听进去我的话，显得很焦虑。她接着说道："我曾听朋友说过，有的家庭盼望生儿子，好不容易生了个儿子，长到十来岁的时候，儿子居然来月经了，后来一检查发现这个孩子其实是有卵巢的。还有的故事说生出来本来是女儿的，但到了年纪女儿一直不来月经，一检查发现身体里有男女两套生殖系统，但女性的那套系统是有问题的。我女儿一直不发育之后，我也查了相关的资料，我特别担心我女儿也有这方面的问题，如果真的是这样，我女儿以后的人生怎么办啊？那她是不是就变得不男不女了？她以后还怎么见人呢？"说完这位妈妈竟然抑制不住哭了起来。

听到这里我才明白她的难言之隐，其实我非常佩服这位妈妈，看得出来她是真心爱她的女儿，宁愿自己承受巨大的心理压力来帮女儿寻医问药。

我递给她一张纸巾，说："你说的这种情况也是有可能的，就是染色体病变导致的内生殖器异常。我其实特别佩服你，你是位好妈妈，你一直关注孩子的身体发育，能及时发现问题，很多父母甚至到孩子18岁才发现孩子没来月经，才想起来带孩子看病，那个时候已经相当晚了！我们也不要太悲观，还是应该先给孩子做一个身体检查，也许孩子的情况还不是特别糟糕。如果需要治疗孩子现在这个年龄治疗是最好的，可以开始激素治疗，人为地模拟正常的青春期，虽然需要长期服药，但孩子可以长到较为理想的身高，乳房也可以发育。总之，天无绝人之路，还是先带孩子去看病吧，你这么爱你的孩子，好好跟她沟通，她一定能理解和配合的。"

听到还有希望，孩子妈妈的表情也变得轻松了许多。我推荐这位妈妈带孩子去专业的儿童内分泌医院看病，检查结果出来还不算太糟糕，是特纳综合征嵌合体型，这个是病情较轻的一种情况，卵巢萎缩，但子宫还算正常。持续治疗的话，说不定以后还可以借卵子生孩子呢。我特别为她们高兴，也特别佩服这位妈妈，是她的细心让孩子抓住了最佳治疗时间。

刚才提到的特纳综合征，简单来说是一种染色体异常性疾病。染色体异常可能是在受精卵分裂的过程中发生了偏差，但具体的发生机制直到目前为止都尚不明确，没有人知道怎样预防这类疾病的发生，也没有有效的治愈方法，我们能做的就是及早发现，这就需要做父母的特别细心，不仅心里爱孩子，更要有爱孩子的实际行动。

做妇科内分泌医生这么多年，我见过太多粗心大意的家长，孩子18岁不来月经都不当回事，等查出来有问题的时候，发现错过了最佳治疗时期，不断懊悔自责。所以，希望做家长的能多一点儿医学知识，这样人间也许就能少一点儿因为愚昧而导致的悲剧。

为什么
不该长毛的地方长了毛

　　光滑的肌肤是每个女性都想拥有的，但是一般人都会有一定的体毛，浓密稀疏因人而异。但是如果女性身上有过于浓密的体毛的话，就会严重影响到外观美。体毛过多，甚至在不该长体毛的地方长了浓密的体毛，困扰着很多女性朋友。有很多女性朋友被问及为何体毛多，都会回答说："唉！都是遗传惹的祸！"

　　但事实并不止如此。女性体毛过多，除了与遗传因素有关外，还与内分泌失调有关，有的甚至是疾病到来的前兆。女性朋友如果体毛过多，一定要引起重视！

◎ 体毛多，不都是因为遗传

　　古人对女性肌肤的最高评价莫过于"宛若凝脂"。这不是一般的要求，除了要白皙，还要光洁，于是过重的体汗毛就成了罪过……每个女性，尤其是年轻女孩，都希望自己的皮肤白净、细腻、光滑。但是过于浓密的体毛，往往困扰着女性朋友！特别是每当夏日来临，眼看着就要褪去全身的"武装"，换上清凉的短袖短裙，展现一个清爽有活力的自己。可是，浑身浓密的汗毛，却让女性朋友十分苦恼。

几天前，有个年轻女孩咨询我说："柳大夫啊，我的体毛特别多，腿上和胳膊上都是特别浓密而且特别黑的体毛，每到夏天我都不敢穿短裤，特别羡慕好多女生腿上干干净净的，一点儿汗毛都没有，穿什么都行。为什么我的体毛就特别多、特别浓啊，有什么好的办法可以脱毛吗？"

也会有女性朋友咨询我说："听说体毛过多与内分泌有关，您说，我体毛这么多是不是内分泌失调了啊？"我一般都会耐心地跟她们解释影响体毛过多的因素有哪些，并建议她们："为了自己的健康，还是应该到医院来做一下激素检查，排查一下多毛的原因。"

女性体毛过多，除了和遗传因素以及体内的雄激素分泌过多有关之外，可能是内分泌失调，患上疾病的征兆。所以女性朋友在思考要如何"脱毛"之前，还是应该先了解下自己是什么原因引起的体毛过多，再脱不迟。

我们人体的"毛"，是可以按是否受性激素影响来划分的。像头发、眉毛、睫毛等，是不受性激素影响的。如果四肢汗毛较多、腋毛较多、眉毛较浓等，受遗传因素的影响较大，这种情况下并不需要过于焦虑。毛发的生长可以有早晚、快慢、长短和多少的差别，个体间的差异是存在的，都属于正常的生理范围。

但是像阴毛、胡须则是受激素调节影响的。因此，如果女性在不应该长出体毛的地方长出了又长又粗的体毛的话，就要引起重视了。例如，在唇周、下颌、前胸中线、大腿内侧、乳晕周围等地方都有不同程度的毛发分布的话，大部分和内分泌失调有关，有严重者会伴有月经不调、月经稀少，甚至是身体疾病的征兆。

我记得很清楚，一位25岁的小姑娘来医院看门诊，焦急地对我说："柳大夫，我已经两个月没来例假了，我是怎么了呀？而且我从一年前开始，体毛就变得旺盛了，胸部周围也会长一些黑黑的毛发，腹部也长有明显的毛发，从上到下的一条，很影响美观。一些漂亮的衣服我都不敢穿，我的月经也一直不是很正常。还有明显的肥胖趋势。"听了她的症状描述，我给她做了彩超和性激素六项检查，发现她是多囊卵巢综合征。这种病不是不能治，只是我有点生气地对她说："你怎么才来医院看啊？"她不好意思地说："一开始没觉得是病，而且工作太忙了。"我实在不想说她什么，只是觉得这样的女孩对自己太不负责了。

很多女性朋友并不重视自己身体出现的症状，认为只是体毛加重，不会意识到要去妇科或内分泌检查，而去了皮肤科或美容院。其实内分泌失调而导致体毛加重并没有那么简单，还可能是多囊卵巢综合征。很多女性朋友由于不了解，没有及时就医，延误了病情。

如果说女性朋友们突然发现自己体毛越来越多，还长了胡子，或者在一些"不该长"的地方长了，一定要去医院做详细的检查，及时治疗。如果内分泌"紊乱"了却不及时治疗，就会造成不孕，同时增加子宫内膜癌、高血压、糖尿病、冠心病等疾病的发病率。

○ 激素摄入多，体毛就会增多

之前出门诊时，有位妈妈带着 16 岁的女儿来看病，症状主要就是体毛过多，胳膊上、腿上的毛发又黑又密，而且唇毛也特别明显，远看特别像"小胡子"。

小女孩儿不太爱说话，她的妈妈悄悄跟我说："女儿因为唇部像是长了'胡子'经常被同班的男同学嘲笑，而且孩子胸部一直没有发育，胸部周围也长了黑黑的毛发。柳大夫啊，您说，我女儿这是内分泌失调吗？我年轻的时候也没有像她这么严重啊！"听了患者母亲的介绍，我给女孩儿做了详细的 B 超检查，发现孩子的卵巢发育较好，并无异常。之后又让她去做了激素六项检查，初步诊断是内分泌失调，雄性激素分泌过多。

为了找到孩子内分泌失调的原因，我就问孩子的母亲，是不是孩子的功课压力比较大呢？她母亲的一番话让我找到了答案。原来，孩子正上高一，确实功课压力大，每天睡觉都很晚，当家长的心疼，就在吃上面尽可能地满足孩子。孩子喜欢吃洋快餐，就每周都给她买上几回，什么薯条、炸鸡之类，另外还经常给孩子买蛋糕、薯片什么的。

听了她妈妈的话，我很生气，疼孩子没有这样疼的，要知道那些快餐里面可能激素含量都是很高的。我听一个在养殖场工作过的朋友说，现在养鸡都是 45 天出笼。什么意思呢？就是在鸡很小的时候就给它注射激素，把它催得又大又肥，这些激素在鸡的身体还没有被代谢干净就被宰杀了，这样的鸡肉里激素含量非常高。你说经常吃这样的鸡肉，我们身体能不出现副作用吗？

我的话让这位妈妈吃了一惊，她或许也没想到吃快餐有这样大的问题。我还告诉她，蛋糕、薯条、碳酸饮料之类的高脂肪高热量的食品，也会导致激素不平衡，雄性激素增多，毛发变得浓密。

孩子的母亲重重地点了点头，她说再也不让孩子吃那些不健康的食物了。我说是啊，一定要帮助孩子管住嘴，孩子健康成长才是真正疼她。

考虑到她只是个小女孩儿，我建议治疗主要以改善自己的饮食为主，多吃蔬菜、水果等富含维生素的食物，多吃豆腐、豆浆等豆制品补充雌性激素。同时我了解到孩子处在高中阶段，课业和升学压力较大。我建议她放松心情，调节作息习惯，不要总是熬夜，先把身体养好，才是"革命"的本钱。

一般情况下，我们都认为，体毛浓密主要与遗传因素有关。但是体内的雄性激素分泌过多也会造成体毛过多。除了内分泌失调引起的雌激素降低，更多的情况是我们从食物、护肤品、药物中摄取了太多的激素，从而导致内分泌发生紊乱，雄性激素增多，体毛也就增多了！

女性体毛过多，不仅仅是尴尬问题这么简单，多是内分泌失调的表现，很有可能是招惹上疾病的表现。一定要引起女性朋友的注意。

如果你问我怎么预防体毛过多呢？我觉得最好的预防办法就是在家吃饭，少吃外面的快餐，因为你不知道店家给你用的是什么食材，而且饭馆的饭菜往往口味重、热量大，这些都会导致内分泌失调。在家吃饭也要尽量多吃蔬菜，例如富含叶酸的绿色蔬菜，能够对你的卵巢起到保养的作用，肉类可以适当吃，多吃鱼、虾等肉类。另外就是减少压力，因为压力太大，会让你的脾气变差，这些信号可能会让你减少雌激素的分泌，取而代之的是雄激素分泌过量。

肥胖和多汗，
内分泌引起的代谢异常

女人为了美还是挺有毅力的，为了让自己苗条，很多女人选择了节食和运动。但要命的是，好多女人发现，无论自己怎么控制，体重就是下不来，真像那句话说的一样：喝口凉水都长肉。

也有的女人干脆把肥胖归罪于父母，认为自己天生就有肥胖的遗传基因，怎么减也没用。其实也不全是这样，我的经验告诉我，当一个女人内分泌出现紊乱后，体重就容易失控，不是偏瘦就是发胖。所以，当你越减越胖时，你最好检查下自己的内分泌，看看是不是需要自我调节一下。

为什么生完孩子瘦不下来

有一天，一个腹部疼痛的患者被送到门诊来，正好是我接诊，当时正是她经期，我发现她经血量很大，而且时间维持很长，检查的结果连我当了这么多年医生的人都觉得有点儿吓人，她子宫里查出了十多个肌瘤，大大小小都有，而她一年前体检的结果还没有发现这个情况。

我看她体形较胖，尤其是腰腹部特别大，反复询问后，她才说半年为了减肥，就开始吃各种各样的减肥药，好像也是从那时候开始，例假慢慢不规律了，还经常掉头发。

患者以后还有再生二胎的打算，所以做好准备就尽快帮她做了肌瘤剥除术，手术比较顺利，出院的时候特别交代再也不能乱吃减肥药了，还要定期回来复诊。

三个月后她来复诊，想到这次"无妄之灾"，还觉得有点儿委屈，"自从生了我家闺女，我这腰就越来越粗，身上的肉也越来越多，我就想恢复到我以前的身材，节食、运动我样样不落，就是减不下来，还越来越胖，喝水都要长几斤肉。听说减肥药能让我瘦点儿，我才吃的……谁知道这也不管用，现在不敢吃药了，还是怎么都瘦不了，我有朋友也生了小孩，可是身材很快就恢复了，柳大夫，我这样是不是哪里出问题了？"

要知道为什么瘦不下来，就要先了解我们身体里的脂肪是怎么形成的。脂肪在身体里面有两条通道，一条是摄入，我们平时吃的食物进入胃里消化以后会转变成身体需要的营养物质，过多的营养身体用不上了就会转变成脂肪，所以吃得过多确实容易脂肪多；另一条是消耗，当身体需要营养物质的时候，脂肪也会分解转变成其他物质，同时脂肪减少。这两条通道正常运作的时候，我们身体既会有适当的脂肪，又不会过多。

表面上看，肥胖都是因为吃多了，生产后发胖的主要原因也可以概括来说坐月子的时候吃得多活动得少，所以只要恢复了正常饮食和运动，一般情况下都会慢慢瘦回去，不过并不全是这样，有些人吃得很多，但就是不长肉，而有些人呢，就算不吃都会胖，就像这次这位患者，她生孩子前身材很标准，并不胖，生了孩子以后，就发福了，特别是腰腹，彻彻底底成了水桶腰，心里落差太大，自然就病急乱投医。

所以要不变胖，就要保证减少摄入或增加消耗，这也是平常减肥的人最常用的少吃多运动法。但是摄入和消耗两条通道要正常运转，很多时候要依靠内分泌系统分泌的激素和物质来完成。这些激素影响着脂肪的合成和分解，如胰岛素和前列腺素 E 这两种激素都会促进脂肪合成，减少脂肪分解。脂肪在我们身体里进得多出得少，堆在我们大腿、手臂、后背、腰腹这些地方，就会让人看起来"虎背熊腰、高大强壮"。

又比如糖皮质激素，如果分泌多了，就会刺激我们的大脑产生饥饿感，一直提醒我们"饿了，该吃饭了"，吃得也会增多，最终的结果就是全转变成脂肪，长成身上的肉。

怀孕的人容易胖还有另外一个原因，是怀孕的时候为了孕育新的生命，我们的身体会分泌出大量的雌激素，如果生产后雌激素水平不能恢复到正常水平，会让内分泌系统发生紊乱，代谢不正常而引起肥胖，患者吃了含雌激素的减肥药，不仅有了新的问题，也没有减肥成功。女性在三个阶段容易发胖，青春期、孕产期和更年期，这三个时期的内分泌也是最容易出现不平衡的情况，如果你怎么减肥都瘦不下来，就要警惕是不是内分泌"乱了套"。

我让她不要急于求成，先从调整内分泌开始，放松心情，合理饮食和适当运动，再次复诊的时候，就已经有了不错的效果，人也自信开朗了许多，觉得自己一定能健康地减肥成功。

说到这里，其实你仔细观察一下，相信你身边一定有这样的朋友，她们在怀孕之前，好像怎么吃身材都还算是苗条的，但是生产之后，无论怎么减，好像都减不下来，这就是典型的内分泌混乱造成的结果。作为医生，我的建议是，在生产之后不要急于恢复身材，而是先检查自己的健康水平、内分泌水平，然后再逐渐开始减肥计划，这样做才是明智的选择。

汗多不是胖人的"专利"

"柳大夫啊，你看我也不胖，怎么就这么爱出汗呢？有时候吃顿饭，动一动就满头大汗的，搞得一身汗味儿……"我有位老患者这么问过我。

天热的时候出汗多很正常，这受自主神经控制，外面温度过高的时候，自主神经会提示我们的身体该散热了，这散热方法就是通过出汗，让我们的体温正常，而偏胖的人脂肪多，水分含量也多，又不耐热，出汗自然就更多，但也不是说，汗多就算是胖人的专利。

我问她冬天是不是也这样。"是啊，柳大夫你怎么知道，尤其是我这个上半身啊，一出汗就湿透了……"因为更年期，她在服用雌激素类药物，这种情况却不见好转。我们的身体就像是一部精密的仪器，温度高的时候，通过出汗降低温度，天冷的时候毛孔就收缩，不出汗来保暖，有些人并不胖，却比一般人更爱出汗，就算是大冬天也出汗，那就要注意了。

我怀疑不单单是因为更年期，就建议她去做下检查，结果查出了2型糖尿病。虽然她没有糖尿病"三多一少"的症状，不过糖尿病会引起自主神经病变，汗腺不受控制，才会这样大量出汗。

要知道糖尿病是一种非常典型的内分泌代谢紊乱性疾病，而更年期的人，卵巢功能衰退，分泌雌激素、孕激素的能力也变弱了，加重了控制出汗的神经紊乱，导致多汗情况更加严重。最后通过控制血糖，配合调整更年期症状的药，她出汗多的情况就减轻了很多。

所以如果出现莫名其妙地汗一直非常多，不用过分紧张，也不要不管不顾，及时检查各项激素水平，对症下药，才会有比较好的效果。

还有一种多汗的情况可要注意了，在青壮年的女性群体中多为常见。我每年都会遇到这样的患者，她们年龄不大，大多都在 20 ~ 35 岁，身形不胖，有的甚至是瘦弱。她们的共同特点是能吃、怕热、爱出汗。一位患者跟我这样描述："天气热的时候，汗流浃背的，当时觉得正常，夏天嘛出汗多点儿就多点儿。可是没想到，天气凉了，这汗出得也是哗哗的，坐着不动脖子也淌汗。"

这是什么问题呢？一检查，原来她们都得了甲状腺功能亢进症，简称就是人们常说的甲亢。甲亢本身是一种内分泌疾病，由多种原因引起的甲状腺激素分泌过多，导致身体出现高代谢状态，常见表现为心跳过快、多食、体重下降、怕热、多汗、情绪不稳定和甲状腺肿大等。

所以如果你也发现自己有类似的情况出现，可要提早来医院的内分泌科检查一下，看看自己是否得了甲亢。我曾经遇到过一位甲亢患者，她说她很早就注意到自己多汗怕热的情况了，我问她为什么不早点儿来查内分泌，她说她以为就是人们常说的"虚"，于是就自己给自己补气血，结果补了一两年，出汗更严重了，这才听同事的建议来看内分泌。

　　作为医生，我们都特别害怕人们自己给自己开药方，根据一些情况简单地自我判断，其实很多时候耽误的是患者自己的病情。另外，如果你自己判断错了呢？你还很可能加重自己身体的隐患，把小病拖成大病。这是何苦呢？！

　　最后要说的是，关于甲亢，很多人有这样一个误区，觉得甲亢像糖尿病一样，根本无法根治。其实并不是这样，轻微甲亢是很好治愈的，而中度甲亢经过一段时间的药物治疗，也可以达到痊愈的效果。

女人面色润、妇科好、精神足，
养好内分泌是关键

第三章

－女人要健康－
内分泌失调，疾病就会找上门

我知道，在很多人的思想中，若是一个女人患上妇科病，潜台词就是她不检点、生活作风不好。其实这是极为扭曲和无知的看法。还有很多可怜的女人，明明生殖系统不舒服了，也不好意思去医院看妇科门诊，结果把小病拖成了大病，急性病拖成了慢性病，到头来吃亏的是自己。

其实常见的妇科疾病，例如月经不调、乳腺增生、子宫肌瘤、各种炎症等，并非都是由性生活引起的，很多时候却是和内分泌有着千丝万缕的联系。我常说的一句话就是：妇科要健康，内分泌平衡是保障。

不按常理出牌的 "大姨妈"

偶尔一次的排卵期出血一般是因为过度劳累或生病后免疫力低下，或生活不规律，或情绪波动影响了内分泌的平衡导致的，对身体没有多大影响，不需太过介意，一般也不需要治疗。有出血现象时，可以做好记录，记下出血时间在月经周期的哪一天、量的大小和持续时间，一方面可以随时监控自己的健康状况，另一方面也可以为日后求医做参考。如果一直经常性排卵期出血，则要引起重视。

没长大的 "大姨妈"

不止一次，我听前来就诊的女孩说："大夫，我一个月来两次月经，一次是正常量，一次量很小，我这大姨妈怎么会来两次啊？"我一听，两次？还一大一小，敢情这大姨妈和小姨妈轮流来拜访啊。

其实，这类患者并不是一个月来了两次月经，第二次出血无论从性质、成因还是量上都跟大姨妈是有区别的，充其量只能叫作"未发育完全的大姨妈"。

我们做一个形象的比喻，子宫内膜不断增厚等待受精卵着床，一旦没等到，悲伤失落的子宫内膜就从子宫内壁剥落，变成哀怨哭泣的大姨妈，这就是月经。在月经周期的第二周，就是我们所说的排卵期，排出的卵子气场极其强大，即使没有精子的光顾，她也能通过影响激素水平而对子宫内膜产生影响。此时，内分泌失调的女性受卵子气场的影响就会很明显。

因为很多因素，内分泌失调女性雌激素水平分泌不稳定，子宫内膜生长不能维持，所以引起子宫内膜表层提前局部溃破、脱落，进而引发突破性的少量出血。出血量这个问题视个人情况而不同，有的只是白带中夹杂血丝，一两天就会结束，有的血色暗淡，出血量就像月经最后一两天一样少。这种情况，医学上称为排卵期出血。

非月经期出血未必是病变

有一次老公的公司组织带家属郊游，有一个小姑娘趁大人们都去玩了的时候来找我，看这架势是想咨询跟妇科病有关的问题。

小姑娘悄悄跟我说："柳阿姨，听我妈妈说您是妇科大夫，那个……我这几个月正准备出国留学的事情，突然发现最近每个月月经过后，干净了一周左右，又会有一点儿出血的现象，有的月份量稍微有点儿大，跟月经最后一天的量差不多，有的月份就特别少，就混了一丝在白带里。我上网查了一些资料，有说这是正常现象的，也有说得挺严重的，像我这样的情况应该没什么大事吧？"

十多年在门诊期间，我见过太多太多不爱惜自己身体、没有妇科常识的傻姑娘，今天见到这样一个聪明的、对自己身体负责的姑娘，突然让我有点儿莫名的激动。通常在医院以外的地方被人问到看病的问题，我都会委婉地告诉对方有病应该去医院，在那里医生才能给你最有效的指导和建议，但眼前的小姑娘让我很愿意和她多说两句。

我对她说："大多数的排卵期出血是生理现象，自然就会好，不用太过在意，你可能是因为最近心理压力太大、生活不规律造成的暂时性内分泌紊乱，等这个紧张的阶段一过，放松心情，生活恢复规律，出血的现象自然会消失。如果专业一点儿说呢，就是排卵期出血是雌激素波动造成的一过性反应，就是一次性反应，对身体的影响不会太大，但这是在排除器质性病变的前提下。"

小姑娘说："器质性病变就是器官发生的病变，对吧？我年纪轻轻的应该不会有这方面的问题吧？我月经量一向很稳定，我在资料上看到过，月经量是最能衡量身体状况、排除子宫和卵巢疾病的标准。"

看来小姑娘确实看了不少资料，费了不少工夫去了解。

年轻不是排除身体内器官发生病变的原因，所以女性朋友可以根据以下几条在家自诊：

1.出血量达到甚至超过月经量；

2.出血时间长于月经时间；

3.多次性生活后出血；

4.最近几个月月经量突然增大。

如果答案均为否的话，基本可以排除阴道、宫颈、子宫内膜及卵巢的病变，确认为排卵期出血症状；如果有一项或多项答案不为否，就需到医院检查以排除器质性病变。

最近找我咨询排卵期出血的患者多了起来，尤其以年轻女性居多，我已经很久没听到傻大妞们问我"一月俩大姨妈"的呆萌问题了。这一方面让我备感欣慰，觉得女性朋友们的健康意识大有进步，妇科知识科普工作也是卓有成效，但另一方面也令人揪心，因为排卵期出血这种症状本身说明的问题是现代女性面临的压力过大，身体健康受到了极大影响。

偶尔一次的排卵期出血一般是因为过度劳累或生病后免疫力低下，或生活不规律，或情绪波动影响了内分泌的平衡导致的，对身体没有多大影响，不需太过介意，一般也不需要治疗。有出血现象时，可以做好记录，记下出血时间在月经周期的哪一天、量的大小和持续时间，一方面可以随时监控自己的健康状况，另一方面也可以为日后求医做参考。

最后分手的时候我还是不忘又嘱咐了小姑娘几句："你的情况不用太过担心，别给自己太大压力，心情放松很重要，还要记得饮食合理搭配，劳逸结合。如果过段时间还是发现这个问题，可以随时到医院去找我。"

经常出血就要特别小心

排卵期出血是很典型同时又很容易辨认的妇科内分泌失调现象，它是身体在用"血染的风采"提醒女性朋友们，之前的脚步太快了，我们应该放缓节奏，多关注自己的身体健康。虽然排卵期出血不需要特殊治疗，但调理还是很有必要的。

因为大多数情况下，偶尔排卵期出血，可能就是雌激素水平偏低，我们可以在日常生活中多注意补充雌激素，比如每天一杯豆浆，适当增加豆类、豆制品的摄入，因为它们是天然的植物类雌激素，对身体大有裨益。均衡的营养，规律的作息，避免过度劳累，保持情绪稳定，避免过度紧张，以及加强体育锻炼、增强体质，这些不仅应在出现状况时多加注意，日常生活中也应该多多重视。

如果经常出现排卵期出血，排除了器质性病变，则可能是严重的内分泌紊乱导致的，需要在医生指导下，服用可以补充雌激素的药物。

其实，口服短效避孕药也是一个不错的选择，不仅能平衡雌激素，还能让大姨妈变得规规矩矩。其实目前新型的短效口服避孕药已经发展到了高效、低剂量、副作用小的程度，像优思明、妈富隆等这类短效避孕药不但有着高于安全套的避孕有效性，还可以对很多妇科疾病起到很好的防治作用。

TIPS：正确认识短效避孕药

1. 在我国大多数女性的观念中，避孕药的主要作用就是避孕，长期服用会产生副作用。其实，新一代的避孕药不但副作用小，而且对很多妇科疾病能起到很好的防治作用。如痛经、月经量过多、月经不规则等，还可以预防子宫内膜癌、卵巢癌等。

2. 服用新型短效口服避孕药不仅不会增加女性生殖系统肿瘤及乳腺癌的风险，甚至还能降低相关肿瘤的发生率。

3. 在没有相应适应症前提下的女性不要擅自服用避孕药。

4. 妊娠期、产后半年内的女性，以及肝、肾功能不全者等人群应禁用。

5. 能否服用、如何服用短效避孕药，需要专业医生指导，并严格遵医嘱服用。

月经不调，
小毛病背后的大问题

如果因为"大姨妈"来得不规律，或者痛得死去活来，你去医院，医生给出的结论肯定千篇一律：月经不调。面对这个结果你会很无语，你也知道这肯定是月经不调，可是到底为什么？接下来怎么办？这恐怕才是你关心的。

⟲ 怎样才算是月经不调

每次"大姨妈"没有按时按晌来，或者来得太勉强、太凶猛，这些肯定都算是"月经不调"。不过月经不调的表现可不仅仅就这些，我见过不少女性患者，她们其实已经月经不调很长时间了，自己还不知道，因为她们根本不清楚，那些症状也算是月经不调。每当这时候，我总是既无奈又怜惜，她们要是多一些医学常识，对自己的身体多一些关注，也不至于让内分泌失调越来越严重。

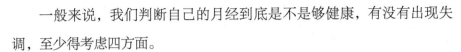

　　一般来说，我们判断自己的月经到底是不是够健康，有没有出现失调，至少得考虑四方面。

　　第一点，就是我们大家都知道的月经周期。有一次我问一个小姑娘她的月经周期是多少天，她说21天。稍微有点儿短，但也算正常。可是再仔细一问才知道，她根本就弄错概念了，以为月经周期是说从这次月经结束到下次月经开始。既然是周期，肯定是从这一次月经开始，到下一次月经开始，这才算是一个完整的周期。理论上我们会说，月经周期是28天到30天，人均29天半。但正常情况下，前后波动一周都是可以的，都非常正常。所以假如我们的月经周期在21~35天，而且一直是某个数值或者波动不大，就不算月经失调。

　　月经周期比较固定，"大姨妈"每次都按时来，这可不能说明我们的月经是正常的，它才仅仅是判断标准之一。第二个标准就是看月经持续的时间。有人月经只有3天，有人要一周，这都是正常的。只要是在2~7天，都没问题。假如少于2天，那就是经期过短了。同样，超过7天，又属于经期延长。这两种情况，就是月经失调了。

　　除了这两个时间之外，还有另外两个判断标准。一个是月经量，一个是经血的颜色。有的人月经量特别大，量大的那两天，很多女孩子都用上尿不湿了。还有的人呢，量又很少，半天都不需要换一次卫生巾。要说这月经量，它没有固定标准，人跟人之间存在差异，月经量的多少也是因人而异的。不过临床上还是给出了一个范围标准，一般一个周期是20~80毫升。

　　不过，这个标准实际操作起来有点儿难以实现，我们怎么判断自己的月经量有多少毫升？根本不可能拿个量杯测试。这里给大家一个好操作的判断标准。一般来说，例假期间，每天白天需要换 3～6 次卫生巾是正常的。当然你要是特别勤快，非想要换个七八次，也没问题。不过我说的是正常情况下，咱们别抬杠。

正常情况下，如果每次来例假，每包 10 片的卫生巾，你用上三包都还不够，而且很多卫生巾都是被湿透的，那么基本上可以判定属于月经量过多。或者，你自我感觉每换一次卫生巾，不超过半小时就湿透，甚至经血顺着腿往下流，这就肯定是不正常的，并且容易出现贫血的现象，一定要及时就医。

假如每次来例假，每包 10 片的卫生巾，你一包都用不完，而且量最多的日子卫生巾也没有湿透过，基本上可以判定月经量是偏少的。有人会说，流血少了好啊，免得贫血。过犹不及，多了少了都不好。假如你还没有当妈妈，那么每次月经量都少，怀孕以后有可能难有足够的营养物质供给胎儿，这会严重影响胎儿的生长发育。所以，假如年轻女孩子月经量少，一定要引起足够重视。

最后还有一个判断标准是经血的颜色。这一条往往被人忽视。有些粗枝大叶的女性朋友，从来没有观察过自己的经血，问她什么颜色，回答说"红的"。我们又不是冷血动物，血不会是绿的。可是红跟红不同，同样是你自己的经血，第一天和第二天的颜色不同，和最后一天的颜色也不同，一定是这样的，大家可以仔细观察一下。

正常情况下，第一天的血色是暗红的，甚至可能是红褐色。然后到了中期，会变为鲜红色，比较接近鲜血的颜色。到了月经快结束的时候，随着量的减少，呈现在卫生巾上的颜色似乎也变浅了，但它依然应该是鲜血的红色。假如你发现自己的经血是黑色的，或者是淡红色，就要注意了，这两种颜色是不大正常的。

另外，假如发现经血里面有暗红色血块，这个倒是不必太担心，它基本上在月经量大的那两天出现，由于出血又快又急，所以有一部分血液凝结在一起了，就变成血块排出来了。如果整天的经血量没有过多，我们就不用太在意血块问题。但假如月经量过多，而且血块是一大块一大块地流出来，还是建议大家去看看医生比较好。

看完这四个标准，相信大家对到底怎样的月经才是健康的有了进一步了解，我们也都对自己的月经情况是否正常心里有数了。假如一切正常，那真是要恭喜你。假如任何一条标准出问题，都算是月经不调。

偶尔月经不调是怎样引起的

一个女人这一生，大概得有 400 次月经。偶尔遇见几次月经不调，这都是难免的，不算什么大事。所以，假如你只是一年半载出现一次月经不调并且不严重，那就不需要把这事儿太放在心上。

有一个读大学的姑娘找我来看病，说自己月经不调，我问她具体表现。她说："我家在南方，我在北方读大学，每年寒暑假，只要一回家，月经就开始不准，有时候甚至两个月才来一次。但只要一回学校，过一段时间，就又正常了。柳大夫，这是怎么回事啊？"

这其实很正常。我们为什么会来月经呢？这是身体一直非常精妙、自然而然的调整。打个形象点儿的比喻，我们的子宫相当于孕育孩子的土壤，每一个受精卵就是播种下的种子。在每一个月经周期里，我们的子宫内膜一直在努力让自己变得更厚，这样土壤就会更肥沃。但是它等呀等，这一个季节却没有等到播种下来的种子，之前的准备都白做了，于是"伤心哭泣"，丢掉之前努力的成功——加厚的子宫内膜，也就有了月经。

这整个过程，虽然看起来只跟子宫有关，但实际上是身体好几个部门共同协作的结果，当然，最高指挥官还是大脑。而我们的身体是非常敏感的，一旦环境改变，神经系统必然要迅速做出调整来应对外界环境的变化，其他器官也就相应做出变化，目的是更好地适应新环境。可是这个适应过程，不是马上就能实现的，它需要一段时间。在这段时间里，子宫也在调整当中，所以极有可能出现月经不调。

等到适应环境之后，身体各个器官、各项生理活动都恢复正常了，月经也就正常了。不过像刚才这个女孩子的情况，从北方回南方，过上一个月寒假然后又回北方，身体可能一直处于调整状态，所以两个月才来一次例假也并不算是病。只要后来月经来了，而且月经量和经血颜色都没什么变化，就没关系。但假如两个多月了都还没来，估计大家肯定也忍不住早去看医生了。

假如你平时例假一直挺准的，那么偶尔提前或者推迟个三五天都不成问题。因为我们的身体原本就是非常敏感的，偶尔的一些生活上的不良习惯或者环境的改变都可能会引起短暂的月经失调。

比如，很多女孩子为了追求苗条身材，减肥简直成了常态，三天两头就要节食一段时间。且不说这样减肥好不好，它给月经带来的直接问题就是，因为身体里的脂肪和蛋白质含量太低，所以没有办法合成足够的雌激素。而且，你的大脑会发出信号：最近身体的营养不够，不适合怀孕生宝宝，所以不需要着急排卵了。于是月经总也不来，或者来了也经量稀少，甚至还有可能闭经。所以，女孩子们太瘦了未必是好事，在后边我也会具体地讲如何选择适合自己的减肥方法，不要破坏我们女性内分泌的平衡。

再比如说，压力过大也会让月经不调。如果最近你觉得"亚历山大"，那么这些情绪的变化，会对神经系统产生影响，会影响化学信号在身体里的传递。这些信号一旦传递错误，月经提前或者推迟，也就难免了。

虽说偶尔月经不调不算什么大问题，大家用不着太紧张，不过终究也不是好现象。要是它提前来了吧，还好说，顶多也就是措手不及，要是推后，可就让人不安心了，一边忐忑不安地掰着指头算日子，一边疑神疑鬼地怀疑安全套是不是有问题。有时候，盼星星盼月亮地终于把它给盼来了，它又赖着不肯走了。不管是哪种情况，都够让人头疼的。

所以，大家最好还是在日常生活中多注意养成好习惯，身体别受凉、减肥、增肥都要科学，这些都能帮助我们把月经周期保持在一个平稳的状态。

长期月经不调一定要重视起来

刚才我们说，要是一年半载甚至十年八载才偶尔出现一次月经不调，大家不用放心上。但假如你是很明显的长期月经不调，或者严重月经不调，就一定不要太不当回事儿了。虽说月经不调看起来只是小毛病，这小毛病背后，还真有可能是大问题。

这么多年了，一般来找我看月经不调的患者，表面上都看不出什么问题，顶多也就是面色苍白或者萎黄，气色不大好。但有一位我印象很深刻，她一进门吓我一跳，看她年纪也不大，也就二三十岁吧，可是脸色蜡黄，有气无力，病恹恹的样子，跟肿瘤科室的那些晚期患者有得一比。

我赶紧让她坐下，她很激动地抓住我的手说："柳大夫，您可一定要帮帮我啊。您看看我现在这个样子，还有得救吗？"我拍拍她手让她别激动，慢慢讲讲是怎么回事。

原来，她从去年开始就月经不调。每次来例假都要持续二十多天！前几天是正常的月经量，到了要结束的时候，眼看已经没有了，第二天又有了，只有一点点，深褐色，但是一直可以持续十来天。这中间呢，有时候又会有一点点鲜红的血，但量始终不大，淋漓不断，依依不舍的样子。本来这种情况明显不正常，已经够让她犯愁了，还经常头晕头痛。

这种情况持续了几个月，她觉得得去看看医生，就找了中医开了些调经的药。可是吃了也有半年了，没什么明显好转，还是没调过来。她跟老公和朋友们诉苦，大家都觉得，不就是月经不调嘛，有什么大不了的，至于这么大惊小怪的吗？话里话外，在指责她太过娇气。她特别委屈地跟我说："柳大夫，我真不是娇气，您看我这样子像是装出来的吗？真是浑身说不出来的难受，还整天昏昏欲睡的，做什么事情的心思都没有。我这到底是怎么了？月经不调也能这么严重？"

我耐心安抚了她一会儿，告诉她别担心，比这更严重的情况我也见多了，让她放宽心，一定能解决的。让她先去做个超声检查，确定一下具体原因，再对症下药。

我一看检查的结果，心情马上一沉，是黏膜下子宫肌瘤。由于肌瘤占据子宫腔，收缩也出现异常，所以才出现这种月经不调的症状。我赶紧安排住院手术，万幸，是良性的。如果是恶性的肌瘤，她拖了这么长时间，就相当危险了。当然我不能责怪她什么，只能告诉她有多幸运，并且继续安慰她："你很幸运，咱们这是良性瘤，只需要把它取出来，问题就解决了。你还这么年轻，身体也相对健康，别担心。"

这个姑娘真是幸运的。月经不调虽然是一种太常见的妇科疾病，但假如你像这位女士一样，都明显感觉身体在抗议了，就千万不要再硬撑着，得赶紧来看医生。因为很多妇科疾病，尤其是子宫的病变，都会表现出月经不调的症状。假如你不把它当回事，时间长了很可能会延误病情。

"大姨妈"，
该来时怎么不来了

　　很多女性朋友都觉得每个月的"大姨妈"很麻烦，而且还有相当一部分人在每次大姨妈光顾的时候"备受折磨"，有的患者就跟我说："柳大夫，我痛经的时候就觉得不来例假才好呢，省得麻烦。但真的一不来例假，这心里面可真是着急啊，又没怀孕，怎么就停了呢？是哪里出了什么问题吗？"

　　确实，"大姨妈"就是这样一个来了有点儿烦不来更烦的存在，其实闭经是女性常见的一种现象，可以分为三种。如果一个正常的小姑娘到了16岁还没有来月经，就叫作原发性闭经；而平时有连续三个月没有来月经的话就叫作继发性闭经，这也是我在门诊中遇到最多的情况；还有一种就是怀孕、哺乳期没有月经，这是正常现象。

闭经是身体的"报警器"

月经好，身体就好，怀孕、生产顺利，甚至更年期都比经期不调的顺很多。经期不做好养血，易出现面色萎黄、唇甲苍白、乏力等血虚症状。

其实，闭经只是一种妇科病的症状，它本身对身体是没有什么危害的，而对身体有不良影响的则是引起闭经的原因。因为月经正常是整个人体协调合作的表现，而闭经则是由于这些协调中出现了问题，表现出了一个明显的现象。

我们医生的任务就是"透过现象看本质"，去寻找闭经背后的原因，因为那才是真正的"幕后黑手"。

导致闭经的因素很多，当出现闭经时不必过于紧张，要查明原因，可通过妇科检查、内分泌激素化验、盆腔超声检查等。其后，应根据闭经的种类进行精神调整或药物治疗，治疗原发病，生理功能得以恢复，同时也解除了心理负担。

一般非病理性的闭经主要由两种因素引起，一种是"贪凉"引起的，另一种是内分泌失调引发的，这两种情况都是可以治疗的。

● "贪凉"会导致闭经

现在很多年轻的女孩子在平时就很喜欢吃冷饮、吹空调，有的甚至在月经期也不避讳，往往出了问题来找我"诉苦"。"柳医生，我这次痛经特别厉害，是不是因为凉的吃多了啊！"你看，自己都知道原因，但就是该管住嘴的时候管不住，到最后自己难受，还容易落一身的毛病。

我还记得在我小时候我母亲一直叮嘱我说月经期间别碰凉水、别吃凉的、少吃辛辣油腻的东西。我有一次不小心在月经期淋了雨，当天晚上肚子就疼得不行，下一次月经也推迟了几天，经过好几个月的调理才恢复正常。这件事给了我很深的印象，我也算得了一个教训，以后每次月经我都相当注意，一直没有什么问题。

但看看现在的女孩子，在最需要呵护关照自己身体的特殊时期也能做到无所禁忌，着实让我捏把汗。大家都知道子宫是产生月经和孕育胎儿的地方，也是精子通过到达输卵管和卵子结合的必经通道，子宫疾病必然影响女子生殖系统正常内分泌，进而影响月经，引发月经不调，严重时甚至会引起不孕。子宫就是胎儿的家，家都不安稳，这儿破一块那儿坏一块的，胎儿怎么能好好在里面居住安家呢？

痛经、小腹凉、月经延期、色深有血块等都是受寒的表现，很多姑娘听我这么一说，不禁惊奇地问："这不都是月经正常现象吗？"但其实这些都是子宫在提醒你月经出问题了！把这个当作正常现象的姑娘说明月经已经存在一定问题了，受寒受得太严重，都没有正常的月经体验了。所以，爱美的女孩子们，赶紧开展"子宫保卫战"吧！

子宫保养的重点应放在饮食上。平时可以养成习惯，吃一些姜、羊肉等，姜可以化解吃入的寒性食物中的寒气。如果有受寒现象，例如淋雨、受凉等，一定要事后补救，给自己煎一碗驱寒汤，生姜5片，水煎10分钟放2勺红糖即可，驱走寒气。

性欲减退也会引起闭经

如同一些男人看阳痿只说肾虚一样，女人则往往会给性功能减退套上"内分泌失调"的外衣。常遇到一些患者对我说："我月经不调，面部长黄褐斑、心情抑郁、精神不振。"全都给自己定性了，但是其实又没有什么具体的病症。

一般这种时候，就是考验医生"问"的功夫了。生活里的事情一件一件地询问，顺藤摸瓜，就发现了问题的症结，原来是缺乏正常的性生活，而患上了女性性欲减退症。

到这种时候，很多患者都会很不好意思，因为本来中国女性就比较传统，很少谈论这个问题，而且还是和陌生人谈论，自然就不好意思了。但其实，这些都是我们医生掌握的第一手资料，资料准确才能诊病，不是吗？

性欲减退可以引起内分泌功能失调。我曾经看过一份资料，讲的是美国一个女子监狱，清一色的女犯人，长期接触不到异性，大多出现了月经紊乱，甚至闭经。结果在通过一次与男犯人的联欢后，这些病都神奇地消失了。这就是一个典型的性功能障碍导致内分泌功能失调的实例。因此，真正有性冷淡的女性不要本末倒置，去看什么月经病、黄褐斑，而应通过及早诊治原发病，其他问题也就烟消云散了。

女性性冷淡其实并不占少数，我在门诊里其实遇到不少有类似困扰的女性朋友。虽然很多女性朋友受到这种性困惑，可由于传统观念的束缚，让许多女性朋友羞于启齿谈论性话题。当前，男性对提高性能力的药品趋之若鹜，希望自己变得更加强壮。女人们当然也需要主动解决自己的问题，否则，同样会给夫妻性生活造成阴影，甚至导致家庭破裂。

其实，性功能障碍也同身体其他脏器出现种种问题一样，是很自然的现象，通过治疗是完全可以治愈的。女性出现性冷淡的原因，往往与精神心理因素、社会因素、生理病理因素均有关系。因此，治疗中需要针对不同的病因，通过采取不同的治疗和心理调适后，性生活满意度都会明显提高。因此，奉劝女性朋友，一旦得了性冷淡一定要及早就医，才能保证自己的身体健康与家庭和睦。

让人花容失色的
功能失调性子宫出血

现在很多人都笑说"大姨妈"是最拽的亲戚了，它想来就来，想走就走，它来的时候恨得咬牙切齿，还得好声好气伺候着，它不来了又日盼夜盼，好不容易盼来了又怎么都不肯走，实在让女人头疼得很。

对女人来说，从初潮开始到绝经，"大姨妈"这个亲戚伴随了我们成长成女人、孕育出下一代、维持着健康和美丽的许多重要时刻，让人欢喜也让人忧。它无论是来或不来，来得少或来得多，都说明我们的身体发生了一些变化，所以，很多"女人病"也是通过观察它来发现和诊断的。

 不肯走的"大姨妈"

"大姨妈"确实是脾气大的一个亲戚，但是它也是讲道理、讲规律的。正常情况下，它每个月来的时间和走的时间都是固定的，之前也讲过正常的月经特质，在这里也不再赘述。但是，如果你的月经经常四五十天都不来一次，但来一次就要历时十多天，那你一定要注意了。

有一天，一位中年患者被她老公送来我们门诊，整张脸跟纸一样白，人已经昏昏沉沉的。听她丈夫讲，下半夜起来上厕所突然觉得头晕，连起身的力气都没有，才连忙从郊区赶到大医院来治。

我给她做检查，发现她裤子上都是血，子宫肌瘤、贫血情况非常严重。经检查在排除了子宫内膜肿瘤、感染等器质性疾病，也没有怀孕后，我诊断是功能失调性子宫出血。当时立刻采取了止血措施，才控制住了病情。

等她稳定一些，她说自己当天下午就发现流了一大块像猪血一样的血块，感觉快到更年期了，身边很多年龄差不多的妇女在这个时候都是这样，月经很不准时，量也时多时少，就没怎么在意。而且她最近两年也是这样，有时候一两个月都不来，好不容易来了又断断续续要二十多天才走，感觉也流不干净，只是身体也没感觉有什么不对，女人嘛，月经这么来来走走也是正常，就只顾着忙家里的事了。一直到了下半夜，下面血流了一天人就感觉不太舒服，全身没力气，还以为累到了，想起来去个卫生间把血处理一下，才发觉天旋地转的，一点儿力气都没有，裤子刚刚提起来，人就栽在了地上，老公这才赶紧把她送来。

前面说了，"大姨妈"能提醒我们身体出了状况，正因为到了更年期月经不规律才更应该注意。这个患者是比较典型的绝经前期功能失调性子宫出血，幸好送得还算及时，要是晚来一会儿，失血过多，后果不堪设想。我再三嘱咐她不能再这么粗心大意了，尤其在激素的调节上要重视起来，做到有问题及时就医，没问题定期复查。

绝经期的女性，卵巢功能随着年龄越来越大而自然衰退，卵泡的数量也慢慢减少，也不如年轻时能生长成熟，卵巢就分泌不出孕激素，孕激素少了，只在雌激素的作用下子宫内膜发生增生，当雌激素水平也不够支持越来越厚的子宫内膜时，内膜就会脱落出血，而且脱落不断。同时孕激素少了子宫内膜的动脉也不发生收缩，出血就一直持续止不住，导致出血过多。这就像是在子宫里有一道闸门，当在激素正常分泌调节的作用下，这道闸门就会每月一次开闸，放出瘀积在子宫里的子宫内膜和经血，如果内分泌发生了紊乱，激素分泌不正常，闸门要不就打不开，要不打开就关不上，造成月经淋漓不断。

所以，千万别觉得更年期了月经不规律很正常，这样一来就不走、量又多的情况发生了就要尽早检查，及时治疗，别让子宫内膜一直增生不断，发生癌变，那就后悔都来不及了。

⬤ 贫血为什么吃什么补品都补不好

很多功能失调性子宫出血因为失血偏多，我们身体里的很多元素和物质就会随着血液流走，会出现不同程度的贫血。所以很多功能失调性子宫出血病患者，长时间的面色发白、头晕耳鸣、心慌气短、身上没有力气，需要卧床休息几天才会缓解。很多人觉得女人有月经以后，血少了会这样很正常，只要补充足够的营养，缺啥补啥，多吃补品补回来就可以了，没必要上医院看，也不是什么病。

　　我接诊过很多20多岁的小姑娘，每次月经前后都手脚冒冷汗，稍微做点儿事就头晕眼发黑，每年都要晕倒一两次，输液休息才能恢复。以前也检查过，查出贫血以后，家人都会想各种办法帮她们补血，阿胶、乌鸡汤什么的也常吃，市面上有什么补血保健品或是偏方也是买来变着花样给孩子补，就是没见多大作用。

　　"柳大夫，我能给她做的、买的、补的都想法子弄了，可吃了多少就是不好，检查了也没说有什么病啊？"其中一位患者的妈妈愁眉苦脸地跟我说，"我以前怕孩子太虚，看月经也正常，倒是还放心一点儿，就是这都结婚两年多了，也没见一点儿有孩子的迹象，她脸皮薄，我死活拉着才肯来的。"

　　这是印象比较深刻的一个女孩子，二十五六岁，年纪不大，脸色却有些暗沉，精神也不太好。我先问了下她日常情况，知道她工作一直很忙，休息很少，自己也感觉时常有气无力的，再问就只说月经每月都来，没什么不对的，以前做过检查，子宫什么的也没发现有什么问题。我看她有些不想说，想妈妈在旁边有什么顾虑，就先请她妈妈出去了。

　　她这才说了心里话："大夫，说实话我这个身体我知道，我怎么会不想好？自从来了月经以后就觉得自己有什么不正常，别人一般一两年就慢慢规律了，我就是一直到了大学都是时来时不来，有时候来了量又多时间又长。我从小家教就特别严，不敢跟父母说，只自己上网查，怀疑是青春期内分泌不正常，就去药店买了些药来吃，后来有一段时间就好了，工作以后忙了又开始了。结婚的时候二十几天都一直出血，我老公看我这样都不愿意碰我，孩子也怀不上，现在还让我妈这么操心……你说查出是子宫长了瘤子还是什么也好治，现在这样怎么治？"说着说着，她就忍不住哭出来，不过也不敢大哭，就是流眼泪。

这种功能失调性失血也是比较常见的一种。青春期的女孩子处于刚开始发育的时期，下丘脑和垂体的调节功能发育还不成熟，没办法和卵巢一起稳定、完全地完成周期性的调节工作，尤其是对雌激素的作用还比较弱。所以一般青春期初潮以后，一到两年的时间月经是不规律的，随着发育的成熟，闸门成长也完全了，各种激素的分泌和合作也倾于稳定。不过如果这种情况没有改善，这个时间垂体分泌促卵泡素不足，没办法促进排卵，造成雌激素跟孕激素无法维持正常水平，失去平衡。

而这个患者还私自买药吃，没有及时调整月经周期和激素水平，一时情况有所缓解也只是表象，治标不治本，加上心理负担大，内分泌紊乱情况更加严重，不仅贫血的情况怎么补都得不到改善，连怀上孩子也变得困难。

我仔细跟她说了月经为什么会这么不正常，把她的心病一个个说清楚，才能让她有轻松的心态积极治疗。听了我的建议后，她不再滥用药品，也不再一味补充很多补养品，而是注重饮食的营养均衡，并且通过开导劝解给她卸下了很多心理包袱。过了一段时间小姑娘复查的时候不但增加了些体重，脸上的气色也好了很多，看着整个人也自信多了。最主要的是月经量也慢慢得到了控制，周期也渐渐变得规律起来。

乳房肿胀与
乳腺增生

我在网上看到有网友说洗澡的时候会摸到乳房里面有些硬块，不痛不痒的，有时候又摸不到，或是痛是有点痛，但不是很严重，完全不影响生活，问有必要上医院吗？有这种情况的还真不少，我想说，有必要，非常有必要，这种情况很有可能是乳腺增生了。

乳房肿胀，小心乳腺增生

女人的特殊生理构造和哺育下一代的重大任务让我们拥有一对乳房，很多人非常在意乳房的外形，比如用紧身的内衣挤出好看的形状，或是做很多保养，却常常忽视了它的健康。很多时候事情严重了才后悔，不仅健康没了，美丽也没了。

有一次一个身材很好的年轻女孩刚进我诊室就差点哭出来："柳大夫，我还年轻，还没结婚，怎么就得了这么个病？以后怎么办啊？"原来她检查单刚出来，上面"乳腺增生、囊性病变、乳腺结节"的几个字眼把她吓坏了，以为自己得了乳腺癌，或是要动手术切乳房，怎么会不怕、不哭？我连忙就安慰她："姑娘，我先给你看一下，知道是什么情况咱就知道怎么办了，千万别自己吓唬自己……"给她做触诊，乳房右上位置确实有肿块，轻轻按着，还会滑动，"这是乳腺增生，十个人里七到八个人都会有，不是肿瘤，也不是发炎，良性病，不用动手术……"

现在网上信息很发达，有很多人都已经了解到了乳腺增生这个病，也有很多人像她一样，对乳腺方面的病不是很清楚，所以一有什么情况，就先急了，结果是虚惊一场。

那么，什么是乳腺增生呢？

乳腺增生，也叫乳腺小叶增生，可以说是女性乳腺疾病里面最常见的一种，就是乳房里面的乳腺比正常的腺体大，乳腺导管上的上皮细胞核纤维组织增生了，是一种良性的非肿瘤病变，有时候是可以自己消掉的。

"柳大夫，我平时特别粗心，要不是单位组织体检，我压根儿就没在意过，也没觉得有什么不适，如果一直拖下去恐怕都不知道会严重到什么程度了吧？"这个姑娘还有点儿后怕。

其实在家的时候我们就可以自己做个简单的检查。洗澡的时候就可以摸摸两边，如果摸到一些小肿块，然后乳房时不时会有胀痛，就要注意了。还有一点也是非常好辨认的，就是这些肿块和胀痛常常是跟着月经走的，比如月经前肿块会变大变硬，也更疼，月经过了乳房变软了，肿块也小了甚至摸不到了，痛的感觉也轻了，甚至痛感消失，就很有可能是乳腺增生了。

我这么一说，她说还真是，她以前就无意摸到过，只是有时候又摸不到。来月经的时候，那几天本来就有些腰膝酸软、浑身不舒服，经期一过就好了，还以为乳房痛也是因为这个呢，就没在意。

"所以啊，平时对自己身体的情况多留心观察，早检查早放心。看你可是会花时间打扮自己的姑娘，那这点更是不能马虎大意，把小毛病拖成大麻烦。有了乳腺增生，切记减肥药不要乱吃，紧身内衣别随便乱穿，女人的乳房不单单要看着好看，健康也很关键。"姑娘确实还年轻，又漂亮，要是这方面有啥问题，就太可惜了。

乳腺增生了并不是一定要治疗，只要肿块不变大，症状不变严重，做些基础的保养，肿块还是有可能变小，疼痛也是会减轻，对正常的生活不会有太大影响。乳腺增生和乳腺癌也没有绝对的联系，不过乳腺癌患者都有乳腺增生，长时间乳腺增生都不好，说明身体还是出了状况，也会增加得乳腺癌的风险。虽然不用谈之色变，也决不能掉以轻心，定期做检查还是非常有必要的，这样既能随时知道乳腺增生的情况，能做到早期预防和治疗，检查症状轻了，也会更加安心。

激素不平衡，乳腺就会增生

在很多人的观念里，乳房肿胀或乳腺增生这种乳腺方面的病在35～40岁这个年龄段的女性中才比较常见，年轻人不会得。其实不然。20岁左右的患者我也见过不少，其中就有一个还不到 17 岁的患者，乳房发育有些大得不正常。听她妈妈说，其实早就觉得有些不对，不过觉得孩子正是发育的时候，只是发育得好一些，觉得是好事，最近孩子说疼得厉害，才想着带来检查一下。

我用手一摸，女孩子两边乳房都有不少肿块，而且一碰就疼，明显乳腺增生的情况已经比较严重了。我再问平时的生活习惯，她说孩子快高考了，学习耽搁不得，每天都熬夜读书，自己心疼女儿，不仅平时大鱼大肉和补品不缺，孩子最喜欢的快餐也是想吃就吃。我一边听一边对这"爱过头"的粗心妈妈摇头，真是乱来。

要知道，在女性的内分泌系统中，有两种激素对乳房来说是比较重要的，那就是雌激素和孕激素，这两种激素不仅能促进乳房的发育，维持乳房外观形状，还保证了女人的哺乳功能，让宝宝能吃到母乳。但是，这样好东西，也不是说越多越好。这两种激素之间是有一个平衡的，身体健康的时候，各自的比例和数量都是一定的，当碰到某一样多了或少了的时候，就打破了这种平衡，那乳房的发育就会出现状况，让乳腺增大、增生。

前面也说过，乳腺增生的肿块和胀痛会随着女人经期的来去受到影响，也是这个道理。女人经期来临时体内的激素会增多，达到一个比较高的点，促进了乳腺的生长，也会加重乳腺增生，所以肿块会变大变硬，胀痛也会更明显。经期过了，激素恢复到了正常的水平，症状就减轻了。

女孩的妈妈刚开始还不信，说自己女儿还这么小，怎么会得这个病呢？

简单来说吧，我们乳房里面的乳腺就像是一棵树，雌激素和孕激素就是输送给这棵树的营养，给得合适得当，这棵树就会长得好，枝叶繁茂；给得多了或某样少了，这棵树就会长出多余的东西或"长坏了"。现在生活水平高了，经济条件也好了，家里就一个宝贝疙瘩，父母自然想让她吃得越营养越好，只是很多食品特别是肉类，都是人工养殖的，用雌激素催长起来的，吃进肚子里导致雌激素大大增加，让平衡受到了破坏，怎么会不出问题呢？

而另一方面，父母望女成凤心切，对孩子会比较严厉。小孩子学业压力大，发育过早，心理负担重了，有什么不舒服也不好意思说，憋在心里，时间长了，也会引起内分泌系统的紊乱，发育的时候又是激素水平高的时候，病情发展得也更快。

我常常对身边的父母讲，我们这些做家长的，爱自己孩子要爱得得当，要知道什么才是真的对他们好。世间万物就讲究一个平衡和谐，更别说人的身体，很多东西并不是越多越好。人类进化到现在，身体机能已经很完美了，只要健康，身体机能就能正常活动，平常保持正常的营养和充足的睡眠，对孩子最好。就算缺少啥，也适量有针对性地去补，胡乱补一通，往往会适得其反。

那么如何尽量避免出现乳腺增生呢？首先是少吃肉多吃菜，过多的动物蛋白会让雌激素增多，而缺少蔬菜中的维生素和矿物质，会影响一些其他激素的合成，从而刺激乳腺，产生增生。

其次是不要滥服避孕药。有些患有乳腺增生的女性为了暂时不要孩子，没有在医生的指导下擅自服用避孕药，很可能自己买到的并不是安全有效且副作用小的新一代避孕药。如果其中含有大量雌激素，这种外来的激素吃多了势必会让内分泌紊乱，反而使乳腺增生更加严重。

白带异常
是身体发出的重要信号

女性一般自青春发育期开始，阴道内便有白带分泌。白带跟月经一样，始终若即若离地陪伴女性大半生。

白带是女性的正常生理现象，是阴道的润滑剂，也是天然的抑菌剂。白带还被称为生殖道健康的"镜子"。白带异常通常指征着生殖道疾病，是身体发出的重要信号，千万不要忽视白带的"怪脾气"。

女性健康的"晴雨表"

白带是否正常是衡量女性生理健康的标准之一，有人将白带称为女性健康的"晴雨表"，是生殖道健康的一面"镜子"。正常的白带应该是乳白色或无色透明，略带腥味或无味。白带质、量、色发生变化时，就是女性身体发生了疾病的信号。

白带异常通常被医生用作诊断生殖道疾病的一个指征，也是大多数患去医院就诊的主要原因。我在这里就主要介绍几种常见的病理性白带，女性朋友们可以根据这些来自检，一旦发现问题及时来医院就医。

如果发现自己的白带为无色透明黏性白带，但量明显增多，则一般应考虑慢性宫颈炎、卵巢功能失调等疾病的可能。若白带表现为白色或灰黄色泡沫状、凝乳状，有鱼腥味，并伴有阴部瘙痒，则可能为阴道炎症状，应及时就医做分泌物检查。若出现脓样白带，色黄或黄绿，并伴有臭味，则可能是滴虫或淋菌等细菌所致的急性阴道炎、宫颈炎等。若表现为血性白带，则应检查是否宫颈癌的可能性。如果发展到血水样白带，且伴有奇臭，则可能为晚期宫颈癌，应及时就医治疗，否则会有生命危险。

有患者问我："柳大夫，该怎么分辨白带异常呢，我最近白带偏多，请问这是白带异常吗？"其实，每天怀着这样的疑问来咨询我的患者很多。由于白带与妇科病关系千丝万缕，女性朋友往往会很紧张。经常会有女性朋友向我咨询："白带增多，身体一定发生炎症了吗？"

答案自然是否定的。白带的分泌量和质地也会受体内雌激素、孕激素水平高低的影响。比如女性处在青春期时，白带也会有周期性的变化，有时增多，有时减少。在排卵期时白带量会明显增多，并呈现透明状。而其他时间则量少，黏稠。另外，像妊娠、口服避孕药等情况，也会出现白带增多的现象。如果只是这种生理性的变化，而没有颜色、气味的改变，女性朋友们则可以不必过于紧张，平稳心态，安心调理即可。

但是，如果你的白带分泌发生了量、色泽、性状、气味等变化时，而且同时还伴有腰痛、腹痛、外阴瘙痒等症状，就表明出现了白带异常，应该引起足够的重视，很可能是生殖器官或泌尿系统有炎症，就应该及时就医。

也有患者会有疑问说："那么，白带减少是不是也不正常呢？"答案是肯定的。如果说白带已经减少到不能满足人们的生理需要，而会使你经常感到外阴干涩不适，则为一种病态，可能是卵巢功能减退，性激素分泌减少引起的。当然，绝经后女性常感觉外阴干涩，阴道无分泌物，这也属于正常现象，多是因为卵巢萎缩，性激素分泌明显减少导致的。

● 别让"不好意思"耽误健康

处在热恋期的小刘跟我叙述了这样一个尴尬情形，一次，和男友约会时，一股异味从私处隐约而至，这时她只得匆匆离别，回家"避风"。在生活中，你是否也出现过这样的尴尬状况呢？白带有异味让女性处处尴尬，影响着她们的生活和工作。

由于白带是女性身体私处的小卫士，所以阴道有异味的白带则可能是身体在发出警报，可能是妇科疾病在作祟。

小刘跟我说，这种尴尬状况已经持续一段时间了，近期发现自己白带有鱼腥味，还总是腰痛，阴部瘙痒。我回答她说，这可能是阴道炎在作祟，建议做进一步检查。

每个人病因不同，白带异味采取的治疗方法也有所不同。但是白带有异味，就必须要治，可能是患了阴道炎、宫颈炎等疾病，严重了还可能是宫颈癌等疾病。像小刘这样，好在发现及时，经过药物治疗后，明显改善，我到现在还记得当时她"轻松"的神情。如果发现异常，但羞于求医，或因为不了解基本的医学常识而使病情继续恶化，就会造成不孕的严重后果，甚至威胁到生命。

因此，发现有阴道异味的症状之后，应及早检查，查明是因为哪一种疾病而引发的异味。不要小看了这些异味，它们带给你的不仅是生活和工作上的尴尬，不及时治疗，还会有健康和生命安全的威胁。及时消灭疾病，才能阻止疾病产生更为严重的后果。

白带是女性生殖健康的一面"镜子"，白带异味，数量和性状异常可能是妇科炎症在作祟！一定不能大意，而让疾病的魔爪有机可乘！

阴道炎，
女人的"难言之隐"

上节我讲过，白带异常，瘙痒难耐，很有可能是阴道炎。在医院，有很多女性患者向我反映"阴道炎"症状常常折磨着她们，成为她们的难言之隐。事实上，在女性的一生当中，在不同时期或由于不同的原因，都可能遭遇阴道炎的袭击。而阴道炎容易反复发作，如果没有得到及时全面的治疗，病情严重，则会造成不孕等严重后果。

 阴道炎，你真的了解它吗

经常有患者问我："柳大夫，我外阴总是瘙痒难耐，尤其是在晚上，阴道会有明显灼热感，白带也会增多，是怎么回事呢？"通常我都会建议她们积极预防感染阴道炎的可能。然后给她们做一个分泌物常规情况检查，诊断是否为阴道炎，属于哪种病原体感染的阴道炎，对症下药，积极治疗。

说起"阴道炎"三个字，女性朋友们往往比老鼠见到猫还要害怕，因为阴道炎的治疗不像挠痒痒一般简单，而阴道炎的发生更像是下暴雨一般不期而遇。通常她们来医院接受完分泌物常规检查确诊为"阴道炎"之后都会很紧张，同时也会对"为何患病"表示不可思议。

　　其实，在正常情况下，女性的阴道对一些病原体的侵入是有自然的防御功能的，比如说像是阴道口的闭合、阴道前后壁紧贴等这些生理结构，就像一堵"墙"一样阻隔着病原菌的侵入。而且我们的阴道也会分泌乳酸菌，使阴道处在天然的弱酸性环境中，来阻止那些适应碱性环境的病原体的生长繁殖。

　　如果我们平时不注意阴部卫生，有甚者还过度清洁，导致阴道的酸碱平衡被破坏，这道"天然屏障"消失，病原体侵入，就会引发阴道炎症。如果女性朋友们发现自己长期外阴瘙痒灼痛，白带异常，则不排除阴道炎的可能性，就应去医院做分泌物检查来排查病因。

　　我常跟我的患者朋友们说："其实，阴道炎并没有想象中的那么可怕！只要做到早发现，并坚持治疗，对症下药就可以根治。"她们听我这么说之后，一般都会"乖乖"听话治疗。

　　有一位患者让我印象很深刻，她的白带有时稠，有时豆腐渣样，有腥味儿，量多，阴部还会特别痒。我给她做了分泌物检查，结合她的症状，发现属于霉菌性阴道炎。我建议她采用放置咪康唑或克霉唑栓剂等药物，并配合使用碱性的女性护理液清洁保养的治疗方式。经过长期坚持治疗，平日注意日常卫生，一个月后，她再来找我复查时，病情已有明显好转。

● 处女离阴道炎有多远

我记得有位年轻的女患者哭着对我说："我明明没有发生过性生活，但是近来阴道总发痒，白带也很异常，会不会是阴道炎症呢？"很多人都错误地认为，只有有过性生活的女性才会得阴道炎，这一看法其实在医学上早已被否定。

处女阴道炎也是女性在不同年龄段会出现的阴道感染症状。大家都知道，阴道分为内阴和外阴，阴道内存在一个正常的菌群，保持阴道内的酸碱度，抵御外界的破坏因素，但是由于卫生习惯差，或是过于干净导致阴道内的内环境平衡打破，处女外阴也可能受到感染。这类患者其实并不少。但往往由于这类患者对病症了解较少，而且自身羞于就医，炎症常常被忽略而造成更加严重的影响。

那位女患者在得知自己患有阴道炎之后，非常着急也非常尴尬，感觉不想治疗，就想离开的样子。我立刻耐心地安抚她说："姑娘，你先别着急，我能理解你的心情，既然已经有症状了，我们要做的就是积极治疗。你现在发现得早，服用药物，外加配合平日注意卫生，一定能够康复的。"

在这里，我要建议那些 20 岁左右的小姑娘，平时一定要注意阴部的清洁和护理，不要不注意卫生，自己"作"，最后患病了又后悔莫及。平日里，内裤一定要每天换，不要同袜子一同清洗。穿过的内裤一定要用开水烫过，洗过的内裤要在太阳下暴晒。

同时我还要提醒年轻的小姑娘们，一般阴道炎都伴有阴道瘙痒，白带异常，有异味等，如果出现上述症状，不要害怕就医，一定要来正规医院做详细检查，及早治疗。

为什么阴道炎会反复发作

阴道炎是一个永远不会间断的话题，女性朋友总想甩掉它，但是刚赶走没多久又复发了，有过病史的女性都知道其痛楚，深受其害。

一位患者来医院就诊的时候对我说，她两年前得了阴道炎，但是两年内阴道炎反复发作，治疗后，过段时间又会出现同样的现象，看了好多医院都没有彻底治好，都有些绝望了。听了她的情况，我就问她是否只是治疗一段时间，见有点儿效果了，就放弃用药了。她默默地点点头。

行医这么多年，见了很多患者，不听医生的劝告，擅自停药的并不在少数。其实阴道炎就像平时感冒一样，有时候我们感觉自己好了然后就不再吃药了，没过几天不但感冒复发了，还出现发烧情况。在治疗时一定要遵医嘱，不要擅自停药，每种疾病的治疗都有一个巩固期，要在医生指导下调整药物用量。

看到这里你估计会问："柳大夫，是不是我坚持治疗了，阴道炎就不会再发作了呢？"阴道炎反复发作远不止这么简单！就在最近刚有一位患者来跟我哭诉："为什么我按照你说的去坚持治疗了，而且也很注意卫生了，阴道炎还反复发作，我都快有洁癖了。"话语中明显能感觉出她有些气恼。我就问她："最近是不是有房事？"她回答我说："是的！"我就跟她说："那就让您的配偶也来共同治疗。"

其实阴道炎之所以反复发作，还有一个非常重要的原因就是忽略男方的共同治疗。各种妇科炎症的发生，尤其是阴道炎的发生，很多男性往往有着不可推卸的责任，如果男方没有及时治疗很有可能会导致女性炎症的再次复发。

阴道炎容易反复发作。在这里我要再一次提醒广大女性患者，平日一定要注意个人的卫生。保持外阴的清洁和干燥，勤换内裤，用过的毛巾以及内裤和盆都要用开水进行烫洗杀菌。去公共场所比如游泳池、浴室、公共厕所要注意预防交叉感染。

当然还得特别注意防止过度清洁，很多女性都很讲究私密卫生，每天都会用清洗液清洗私密处，但是过犹不及，阴道本身就具有一定的自我防护调整功能，过度清洗会破坏阴道菌群平衡的，这一点一定要注意。

滴虫病
可以导致不孕

我经常会遇到这样的患者，一进我的门诊，说得了阴道炎，说话支支吾吾，脸涨得通红，一副难为情的样子。凭我的经验判断，这类患者八成是患有阴道毛滴虫病。因为患病的部位比较敏感，再加上那个部位通常会奇痒难耐，让人既尴尬又痛苦。而且，由于大多数患者对病情并不了解，因此，她们在向我描述病情时，也说不出个所以然来。

杀不死的"小强"——阴道毛滴虫

阴道毛滴虫是一种生命力非常顽强的单细胞原虫，可以寄生在男性和女性的生殖系统内。男性的尿道、包皮皱褶、前列腺中，女性的阴道、尿道、尿道旁腺，甚至膀胱等处都是它们活动和生存的场所。就我们女性来讲，在正常情况下，阴道中产生的乳酸杆菌能够使我们的阴道 pH

值维持在 3.8～4.4 这个数值之间。这种弱酸性的环境，有利于抑制滴虫的生长。

不过，一旦阴道的弱酸环境发生改变，比如怀孕之后或者每次月经后，pH 值会接近中性。而中性的环境是最有利于滴虫的生长和繁殖的。这些滴虫在生长和繁殖的同时，会消耗阴道中的糖原，妨碍乳酸杆菌的酵解作用，影响乳酸浓度，从而使阴道 pH 值持续保持在中性或碱性的状态。在这种情况下，患者和其他人发生交叉感染，以及自身复发的概率都会很高。

大家可千万别小看了这些单细胞生物，它们适应环境的能力可是相当强。如果阴道内生态环境发生改变，不再适合它们生长时，它们会变成球形体，不再频繁活动，对外界环境中的刺激的敏感性也会降低。如果被排出了体外，它们超强的抵抗力也可以让自己在自然环境中继续存活一段时间。更可怕的是，它们还能在浴盆、浴池、浴巾、洗脚盆、擦脚布、坐式马桶上生存一两小时。怎么样，是不是很可怕？试想一下，如果我们不小心接触了这些有滴虫存活的器具，那么我们将很可能成为它寄生的宿主。

在每年天气开始热起来的时候，阴道毛滴虫病患者就会开始多起来。所以，夏季是滴虫病的高发季节，也是大家防治滴虫病的重要时期。

滴虫病有哪些明显症状

我的邻居小李曾是一名滴虫病患者。有段时间，她老是觉得下体特别痒，总忍不住想去挠，而且阴道分泌物也开始增多。刚开始还不是特别痒，她也就没太在意，想着注意一下个人卫生，应该过几天就会好了。可是，半个月过去了，症状不但没有减轻，反而加重了。分泌物有增无减，呈黄绿色，而且还伴有恶臭，后来连上厕所都会感觉到刺痛。最后痒得实在受不了，才上我的门诊来。

我给小李检测了一下她的阴道分泌物，确定她得的是阴道毛滴虫病。通常，阴道毛滴虫病患者在发病前都会有一个潜伏期，为 4～7 天。在潜伏期内，很多患者感觉不到有什么异样，有的患者偶尔会感觉有些痒，但不频繁，大多不会当回事。潜伏期过了之后，病情就会加重。患者就会像小李一样出现外阴瘙痒，阴道分泌物增多，呈泡沫状，黄绿色，并伴有恶臭。严重者会出现排尿困难，性交疼痛等情况。这种病在月经后期症状会加重，之后白带会减少，症状减轻。不过，下次月经后症状会再次重现，如此循环发作。

我给小李开了一些治疗滴虫病的药物，并叮嘱她："明天让你老公也来医院检查一下吧！"

我之所以让小李叫她丈夫也去做个检查，是因为滴虫病主要由性行为传播，夫妻双方可通过性接触而交叉感染。

　　男性的生殖系统感染滴虫病，有的可患上滴虫性前列腺炎或者滴虫性尿道炎，从而引发尿急、尿痛等排尿障碍；有的则可能会出现滴虫性龟头炎，其尿道口会伴有痒感，严重者尿道口还会出现少许呈浆液状或者脓性的分泌物。由于男性感染滴虫后常无症状，有症状的话，主要表现为瘙痒、尿道分泌物增多、龟头发红、丘疹、水泡等。所以，男同志们一定要提高警惕，一有不舒服，严禁与爱人同房并注意及早就医。

● 引发不孕的隐形杀手

　　如果大家发觉自己患有滴虫病，或者不知道自己患的是什么病，但有以上相似的症状，一定要尽早去医院治疗。特别是备孕期的夫妻以及已经怀上孕的女性朋友们更要注意了。任由这种病发展，是会影响受孕，危害宝宝健康的。

　　为什么滴虫病会影响受孕呢？这是因为滴虫会吞噬男性的精子，使精子数量减少。那些精子数量本来就少，精子活力不强的男同志们就很有可能出现不育。同样，女性朋友们若患有阴道毛滴虫病，得滴虫性阴道炎的可能性就会很大。而阴道炎产生的脓性分泌物中含有的大量白细胞会妨碍精子的成活，也会影响受孕。

　　已经怀孕的准妈妈们如果患有阴道毛滴虫病，不仅会感觉到外阴痛痒难耐，影响生活和精力，严重者还有可能危害到肚子里的宝宝，引起胎膜早破、早产等。

　　不过，大家也不必太过紧张，阴道毛滴虫病的患者如果能在病情不太严重时就足够重视它，通过得当的治疗，还是可以彻底治愈的。就怕有些患者不当一回事，迟迟拖着不去治疗，结果引发了滴虫性阴道炎、滴虫性尿道炎以及膀胱炎等病症。

　　在此，我再次提醒患者朋友们，在发现有滴虫病的症状时，一定要及早进行治疗，以免越拖越严重。另外，大家在平日里也要注意一下自己的生活习惯，做好滴虫病的预防工作。

盆腔炎，
小心拖成慢性病

"医生，我下边痛……"来看病的很多姑娘都是这样扭扭捏捏地说出自己的症状，但是问她具体是哪里痛，有的说小肚子，有的说私处，有的说肾那里……说法真是多种多样，但其实，经过检查，她们都是同一种病——盆腔炎。

脆弱时期要格外小心

盆腔是哪里？打个比方，盆腔是女性生殖器官的"家"，里面的主要成员包括子宫、输卵管和卵巢。它们任谁有点儿"头疼脑热"的，咱肯定就不舒服了，一来二去，拖成了炎症，就得来医院诊治了。

盆腔炎分为急性与慢性两种，相对来说，急性更好治疗一些，但是如果在急性期不及时治疗的话，可能就会转成慢性了。

女性其实有几个"脆弱时期"容易感染盆腔炎，首先就是产后或流产后。这时候宫颈口没有及时关闭，如果有细菌进去，里面娇弱的成员可就危险了，一时抵抗不力就会造成盆腔炎。

曾经有个20多岁的姑娘来找我，说自己白带很多、小肚子那里时常不舒服，想查查有什么毛病。确诊是盆腔炎后，我问了问她是什么时候开始不舒服的。她说是一次流产后，不到1周有了夫妻生活，结果下次月经就开始不正常了，慢慢地别的症状也都出现了。这姑娘自己找的原因很正确，她的盆腔炎就是这样造成的。

所以在这里提醒各位，当你的身体处于脆弱时期时，例如产后、经期等，要注意卫生和保暖，不要吃凉的和辣的等刺激性食物，因为在脆弱时期，我们女人身体的免疫力会降低，这个时候很容易引发盆腔炎、阴道炎等妇科病。

勤换卫生巾，才能远离细菌

除了产后和流产后外，经期的不注意也可能会造成盆腔炎。我们经期必不可少的伙伴——卫生巾，就有却可能给我们带来健康隐患。

女性的生殖系统的构造有一个很大的缺点，就是子宫、宫颈、阴道、体外环境都是相通的，细菌通过阴道可以"长驱直入"进入子宫。再加上月经期宫颈口打开，更给了这些细菌可乘之机。

而另一个细菌疯长的原因是，卫生巾上的经血中有丰富的营养物质，细菌能够利用其中的营养物质进行大量分裂，卫生巾成了"培养基"。想想多么可怕！本来就愈加脆弱的阴道和子宫怎么能抵得住培养基上不断产生的新的细菌军团呢？这不阴道炎、盆腔炎就跟着来了嘛！

所以对于卫生巾的使用，一定要高度注意。我总说，中国女人总是太"勤俭节约"，一片卫生巾觉得还可以用下去就不会换，其实这是完全错误的！一般卫生巾需要2~4小时就换一次，不管是否已经湿透了都要换。当然，如果量多就更需要勤换了，这个时间是一个最低限度，因为在这个时间内，卫生巾上的细菌就达到一定数量了，再不换它们可能就大批量进攻了。所以，不要看着那些只脏了一点点的卫生巾感到心疼，换了才是救了你，要是因为节省几片卫生巾的钱得了宫颈炎，那不是得不偿失嘛。

除了换卫生巾太不积极外，还有一个问题是，卫生巾放了多久了？每当我提醒这条的时候，很多人都一脸茫然地看着我说："卫生巾还有保质期？"当然了，虽然卫生巾一般出厂的时候是无菌的，但卫生巾是使用高温消毒的方法达到无菌的，一次性消毒灭菌的有效期毕竟有限，超过期限就没有无菌保障了。所以一次别买太多，而且用之前记得看看保质期。

所以，很多盆腔炎的患者，我总是要问问她们的卫生巾是怎么用的，一开始她们总是一头雾水，但听我讲完就恍然大悟了，原来这些看似平常的习惯都可能成为隐患。

我一般建议选择棉质表面的卫生巾。干爽网面的纤维质地容易导致过敏。棉质表面对肌肤更有亲和力，渗透性也好。还有，不回渗功能很重要，尤其是夜用卫生巾，渗入的经血不易被挤出，就能减少慢性盆腔炎的发生。卫生棉条要慎用，因为棉条使用前，不洁的手会将病菌带入阴道，还容易引起阴道壁损伤，加上与经血长时间接触，很难痊愈。

别让"急性"变成"慢性"

说起盆腔炎对生活的影响，我立马想到了一个在我这里治疗了好几个月的患者。她第一次来找我的时候已经和丈夫结婚两年了，感情一直很好。可当时那段时间，也不知是怎么了，她总觉得自己对丈夫的缠绵有些吃不消了。不知是从什么时候开始，每次过性生活的时候，她的隐私部位就会隐隐地痛。这种痛感一阵阵地，不太明显，却又如影随形。

起初，她想自己会不会是得了什么妇科炎症，所以就买了点消炎药吃了，效果却不明显。渐渐地，曾经十分和谐的夫妻生活对她来说，变成了一种痛苦。

她开始对丈夫有了怨言，并对性生活产生了抵触。终于有一天，当丈夫再次提出要求，她冷冷地说："我不舒服。改天吧。"丈夫一脸的不高兴，说："你这个女人真麻烦，你到底是怎么回事啊？"而且她觉得自己的身体状况越来越差了。不仅下腹总是隐隐作痛，有时还腰部酸痛。晚上洗澡的时候，经常发现自己白带很多，而且还有股难闻的异味。

几天后，她的例假来了。而且这次来的月经量特别多。为了应付这些，她总是累得全身乏力，晚上睡不好，精神也很萎靡。这样的情况持续了好几个月，最后她来医院找到我，我检查后发现，她患上了慢性盆腔炎。

直到这时候她才发现自己原来是得了病，而且已经是比较顽固的慢性盆腔炎了，在急性期内她没有好好把握住治疗的机会，就导致此病成了慢性的。

能发现疾病就是一个胜利，能够把困扰自己很长时间的痛苦根源揪出来她也感觉很庆幸，一方面病情没有进一步发展，但另一方面，她现在已经是慢性了，很可能就是从急性期发展过来的。她刚开始疼的那个阶段很有可能是急性期，但是被她自己吃了点药糊弄过去了，就这么耽误了。

而且她自己吃的那些抗生素对于自身也起了反作用，滥用抗生素会"滥杀无辜"，破坏阴道的微生态环境，使"好菌"乳酸杆菌活性被抑制，而外来的致病菌则大肆繁殖，从而加重炎症。

其实，急性盆腔炎没那么可怕，当第一次得了妇科炎症特别是盆腔炎的时候，只要连续、有效地用药治疗 14 天以上，基本可以痊愈。可是，有不少患者在治疗三五天后看到症状缓解了，就擅自把药停了，还有的人自己买药乱治，结果导致久治不愈或者反复发作，进而引发输卵管积水、输卵管阻塞、子宫内膜炎、宫腔粘连等后遗症，最后还有可能造成不孕。

所以特别提醒大家，一旦发现分泌物有异常或下身瘙痒，一定要及时检查，可以做常规的白带检查和支原体、衣原体培养等，不能滥用消炎药。

子宫内膜增生，
可逆转的病症

受雌激素影响，子宫内膜会增生，然后随着激素水平的变化，子宫内膜会脱落形成经血，形成周期性月经变化。这说明子宫内膜增生是一种非常正常的生理现象，而且发生的时候也感觉不到什么。那么，是不是子宫内膜增生就可以完全不用管呢？当然不是的。

子宫内膜增生虽然是我们身体里月经来临时的一种生理变化，月经正常的时候，子宫内膜是有增生变厚也会有脱落变薄的，每月一次，但当体内因为炎症、内分泌紊乱、外来的激素刺激让它失去了正常的消退，而是一直处于生长阶段，就会破坏子宫内部的平衡环境，表现出功能性子宫出血的症状，如月经不调、不规则出血、少经或是闭经后出血不止等。这都在提醒我们，物极必反，子宫内膜过度增长已经不是一个单纯的月经周期变化，而是成为一个病症，需要重视起来了。

过度增长的子宫内膜

　　子宫内膜增生在任何年龄段的患者身上都有可能发生，它不是一种不能治疗的病症，而是可逆性的，长时间保持一种良性状态，经过积极治疗是可以治愈的。不过在子宫内膜增生的治疗中，除了要查清楚增生的原因好针对治疗外，还要考虑到患者的年龄、增生的类型和患者需求等而选不同的治疗方案。

　　对绝经期妇女来说，因为卵泡功能减弱消退，内分泌很容易紊乱，有很多患者只服用大量含雌激素类的药物以维持体内激素水平，这就会引发子宫内膜增生。

　　我就有个患者都已经50多岁了，已经绝经好几年，绝经后自己一直用大豆异黄酮，也非常注重保养，效果一直不错。直到有一天发现竟然出现阴道出血，还以为是身体调养得好，月经又来了。不过这"月经"来了就一直淅淅沥沥地好多天没止，这才觉得不对来医院。

　　"大夫，你说女人绝经了还能不能来月经啊？不能来我这样又是怎么回事？难不成还真是我平时保养得好，能返老还童不成？"虽然觉得不对，患者心情倒是不差。

　　我却没她那么轻松，她长期只服用雌激素类药品，体内的雌激素水平较高，而卵巢功能已经衰退，分泌不出孕激素，没有孕激素对雌激素进行调节抑制，子宫内膜很容易发生过度增长，而且体形也较胖，也容易让体内雌激素水平增加，这样突然出血，极有可能是子宫内膜增生引起的出血。

经过解释，她才觉得是有大问题，做了诊刮术，确诊是子宫内膜单纯性增生，情况还不是很严重。我建议她刮宫后适量减少雌激素用量，同时要补充孕激素，还要随时检查，以防增生加重或变成复杂性或不典型增生。

还有很多年纪较轻的患者，她们的子宫内膜增生多数是因为不排卵，那么在治疗的时候就要针对性地促进排卵，不仅能够通过排卵调节激素达到治疗增生症的目的，还能增加怀孕的机会。

为何子宫内膜增生治了又来

子宫内膜增生症可分为单纯增生、复杂增生、不典型增生三种，前两种增生转化为子宫内膜癌的概率很小，不到3%。而不典型增生转化为子宫内膜癌的概率就比较高了，达到20%～30%，特别是中—重度的不典型增生，癌变概率有50%，所以一般确诊了一定要积极严格治疗，以避免癌变。

可以说，子宫内膜增生、不典型增生和子宫内膜癌是一连串的变化过程。所以如果出现了增生症的症状，要及早检查，确诊出是什么原因引起的、是哪种增生，才好对症下药，得出最好的治疗方案。

但是，在工作中我常常碰到子宫内膜增生复发的患者，治好了以后一两年又出现月经不调的情况，一刮宫检查，还是子宫内膜增生。"柳大夫，我明明已经听医生的好好治疗了，为什么总是这样治好了又来？"有的患者甚至都已经刮了四五回了，这样实在让她们发愁又烦心。还有些一开始只是子宫内膜单纯性增生，治好了又复发，检查后发现已经发展成复杂性或者不典型增生了，这心里就开始打鼓了，怎么病越治越重了？

其实绝大多数的子宫内膜增生并不难治疗，治愈率基本都在 90% 以上，但是子宫内膜增生并不是因为子宫内膜本身发生病变，而是因为激素水平失调，卵巢功能不足，长时间没有排卵或是长期雌激素过高，而孕激素不足，两种激素的这种失衡就会刺激子宫内膜增生反常。一般刮宫治疗只是物理性地刮去了增生的子宫内膜，而没有对更深层次的病因做到根治。很多人刮宫治疗好了停止服药，又没有做好预防措施，子宫内膜增生就会很快卷土重来，烦不胜烦。

子宫内膜增生症最好的治疗就是预防，调节好我们身体的内分泌系统，不仅能减少子宫内膜增生的概率，在治疗后，也能减少复发。

我这里要特别说明一点：在检查时，诊刮术能够很好地确诊子宫内膜增生的类型和病理程度，但是有很多人对这种检查方式有畏惧心理，只愿意接受彩超或其他检查。事实上，诊刮术不仅能更明确地诊断增生的情况，以便制定出最佳治疗方案，还能对子宫出血起到很好的止血作用。

正在"年轻化"的子宫肌瘤

很多人对子宫肌瘤的印象还停留在更年期更容易患病的阶段。其实，与十几年前相比，子宫肌瘤越来越青睐三四十岁的女性。子宫肌瘤也越来越开始"年轻化"了。我做过一个统计，现在查出来有子宫肌瘤的人，30～40岁之间的占了六七成之多。

而且很多女性都是在体检的时候发现子宫肌瘤的，但是平时都没有什么症状和不适，肌瘤是怎样在子宫里偷偷"扎根"的呢？

为什么子宫会长肌瘤

子宫肌瘤是女性的生殖器官中常见的一种良性肿瘤，主要是由子宫平滑肌细胞增生而成。产生子宫肌瘤的本质，说白了还是内分泌的问题！我们整个人体是一个统一的系统，对于各种激素的分泌和需求都是有严格要求的，激素多了就会生病，但是不同的激素会引起不同的疾病，比如子宫肌瘤，主要是由雌激素引起的。

现在不少姑娘为了使自己更动人，擅自补充"雌激素"，虽然皮肤好了，更有"女人味"了，但是，子宫肌瘤可能也跟着来了。因为体内的雌激素越多，越容易刺激子宫肌瘤增大，而且雌激素水平如果一直很高还可能会诱发子宫肌瘤呢。我遇到过很多患者来看病的时候说自己之前因为某些原因而补充雌激素，结果没想到补着补着补出了子宫肌瘤。

所以特别提醒各位爱美的姑娘，人体这么精确的系统，对于激素的需求都是自己算好了的，在没有其他疾病或不适的情况下说明激素水平是正常的，不要受到其他原因诱惑影响而自己盲目补激素，咱的身体可消受不起大量激素这种"补品"啊！长期补下去，肯定会出现各种问题。所以我常说：激素有风险，补充需谨慎啊！

除此之外，还有一类女性特别容易被子宫肌瘤"盯上"。就是30～40岁的中年女性，特别是工作压力大、心情抑郁的群体。为什么这类人容易患上子宫肌瘤呢？因为这类女性绝经期会相对提前，身体不由自主地进入"雌激素控制期"。在这个时期中，女性自身的抑郁情绪，很容易促使激素分泌不平衡，且作用会逐渐加强，有时可持续几个月甚至几年，这同样是子宫肌瘤产生的重要原因。

我曾遇到一位未婚未育的"女强人"，年轻的时候一直在打拼事业，等到事业有成了，也30多岁了，这时候才开始着急相亲。但是，总是对前来相亲的男人不满意，没有遇到心仪的那个人，婚姻大事就一直耽搁下来了。她来找我的时候，其实刚刚40出头，就已经有更年期症状了，脾气暴躁、月经量少等，这次更是检查出了子宫肌瘤和乳腺增生。跟我讲述病情的时候她自己也是一脸无奈，她觉得自己靠着自己的努力什么都有了，但怎么病也跟着来了呢！

我把她的病因细细分析了一下。她子宫肌瘤的可能原因之一就是她的未婚未育。在自己身体的激素保护方面，她就有了"先天劣势"，而且在事业上有时候过于"玩命"，精神压力过大，生活作息不规律，更是让她的身体雪上加霜。

我给她的治疗建议就是在治病的基础上再加上生活方式的改变，同时要注意控制自己的情绪，毕竟自己活得好才最重要。名和利固然也很重要，但在健康面前都是浮云。

令人糟心的"子宫肌瘤病"

大多数子宫肌瘤的患者问我的第一句话就是："柳大夫，我还能不能怀孕啊？"其实，子宫肌瘤在大部分情况下对正常怀孕是没有影响的。

以往的手术曾经有切除三四百个肌瘤的成功案例。子宫肌瘤本是妇科常见肿瘤，并不难治，切掉就可以。但有一种被称为"子宫肌瘤病"的特殊类型的子宫肌瘤，给患者带来太大的困扰和苦恼。

这种病，病因不明，起初并无症状，就是子宫里爱长瘤子。纵使你切得再干净，不久之后，又会再长，而且长得特别多，就好像野草一样，野火烧不尽，春风吹又生，该病不是很常见，但真的遇上了，真的是很糟心。

我曾经遇到一位患这种病的年轻姑娘，曾经在当地的医院做过一次子宫肌瘤切除手术，切除了四十多个肌瘤。当时，她以为瘤子切掉了，子宫保住了，就能怀孕生宝宝。可没想到，自己月经量大、贫血的问题很快又再次出现了。

月经量达到什么程度？她跟我说："哪怕是夜用的卫生巾，刚换上也能马上给血透了，弄得裤子上都是。"因为这个，她已经没法正常工作和生活了。

来找我之前，她找西医，寻中医，能看的大夫都看过了。"西医都说，没办法，只能把子宫摘了。中医倒是只把脉开方，可就是不见效。"还没生孩子的她并不甘心就这样被摘掉子宫。

她来找我看病，我也只能是劝她进行手术治疗，同时与妇产外科的同事协调、探讨她这个病例能不能不摘除子宫。这个患者当时就哭了，我感到挺惊讶的，后来听她说，前几年，她看过的所有大夫都在冷冰冰地告诉她，你这病，没办法，只能把子宫摘了，不然，就算切掉瘤子，也还是会长，很难怀孕。所以她听到我跟同事商量保留子宫的问题，她直接就忍不住哭了起来。

她说这几年，每看一次医生，她都会委屈地哭一次，自己得病已经很痛苦了，医生不能理解她想要孩子的执拗，认为她不听话难伺候，被问急了还会回上一句"那你说怎么办"，就好像生病是患者的错一样。

虽然剔除肌瘤保住子宫，患者怀孕的可能性依然很渺茫，就算怀孕，还有发生子宫破裂的风险，还得忍受复发后再次手术的病痛。但毫无疑问，摘掉子宫，怀孕的希望就彻底破灭了。所以她一直是坚持保留子宫。

　　我没有直接参与手术过程，但是我同事跟我说，打开子宫后，所有在场的医生都震惊了。没想到瘤子会有那么多，就好像芝麻粘在了糖上一样，附着在了整个子宫里。这个手术，摘除了九十多颗子宫肌瘤。

　　好在，手术很成功。术后第二天，她已经可以下床行走了。她特别感谢我们能够为她着想保住了她的子宫，对于今后瘤子还可能再复发，她跟我谈论时显得比较轻松，不管以后能不能怀上，至少她努力了。

　　这个例子比较特殊，确实在临床上，得这种病的人并不多，但是子宫肌瘤确实可能会是育龄女性怀孕的"拦路虎"，所以，在准备怀孕之前，最好做个全面的检查，给宝宝一个舒适的"家"。

什么样的子宫
需要被切除？

毋庸置疑，子宫是女人孕育生命的摇篮，这是多数人的理解。但是大多数人对子宫也存在误解，例如没有怀过孕子宫就不会产生病症，这种想法我相信很多年轻的女士都有过。但这并不正确，我接诊过不少子宫出了问题的年轻未婚女孩。

还有一些女士妇科一直不好，害怕自己患上子宫癌，于是觉得子宫就像阑尾，只要没有生孩子的打算，能割掉就割掉，这其实也是一种错误的想法。子宫对女人来说，是极为重要的器官，是平衡内分泌的沃土，哪能说不要就不要啊！

那么，什么样的子宫需要被切除呢？看完这一节，我相信你心里就有数了。

 并不是用不到了就要切掉

有个患者跟我说："大夫，我每次痛经都痛得死去活来的，子宫又长了些瘤子，反正现在孩子都生了，子宫也没什么用，可不可以做手术切掉？"我在医院这么多年，也遇到过不少患者跟我说过这样的问题，说："女人病治起来真麻烦，还总是反反复复发作，说不定以后还会得子宫癌，让人担惊受怕的，还不如切了算了，就跟阑尾一样，切了也一样没事，也不用怕得什么子宫肌瘤、子宫颈癌，一劳永逸，不是更好吗？"

虽然很多时候这都是一时的气话，不过也确实有不少人有这样的想法。其实她们多数对子宫的功能有误解，或者说是过于担心子宫癌变的情况。这种时候我一般都要先跟她们说清楚，子宫对我们女人来说，到底有什么用。

它不单单是孕育下一代的工具，而更像一块肥沃的土地，源源不断提供我们身体所需的多种激素，维持体内的内分泌水平，还担负着增强免疫力、保护身体免受感染的作用。

如果子宫切除，那我们体内的内分泌系统就会发生紊乱，破坏原有的激素分泌和代谢，从而让我们的情绪容易焦虑、心情低落，会大大降低生活的质量。在健康方面，会诱发很多感染疾病，更不用说女性性功能也因雌激素大量减少而减退，原本依靠着子宫的卵巢也失去了支撑，供血减少一半以上，血液循环受到严重破坏，对女人的身体健康会造成很多不良的影响。

国外有一项研究表明，切除了子宫的女性，其卵巢功能会比同龄人提前四五年开始衰老。而且，虽然妇科病非常常见，每 5 个人中就会有 1 个患上子宫疾病，炎症、肌瘤、损伤、增生、肿瘤等，但并不是所有的都会有癌变的危险，而大多数妇科病，都是跟内分泌失调和不洁性生活有关系。只要了解如何预防和早期治疗，女人病并不麻烦，也不用有这种过度治疗的想法。

所以，只要你定期做好检查和预防，没有病变的发现，我是不会提倡你提前切掉子宫的。

● 必须切除子宫的情况是什么

前段时间湘潭产妇死亡在网上闹得沸沸扬扬，我们科室的医生也讨论过。要说产妇死得冤，确实是冤，虽然现在医学进步，但在产床上很多情况是不可预测的，发生羊水栓塞、产后大出血无法控制等情况时，就应进行子宫切除，这是每个女人都不愿意看到的，但子宫再珍贵，也比不上宝贵的生命。在临床上，有很多时候为了起到更好的治疗效果，挽救生命，也会进行子宫切除。那么什么样的子宫才需要被切除呢？

1. 癌症或癌前病变

有 8% 到 12% 的子宫切除都是为了治疗癌症。子宫虽然很重要，不过当它有威胁到患者生命的时候，药物或是一般的治疗已经无法控制，只能做子宫切除手术，比如卵巢、子宫有恶性肿瘤的情况下，子宫切除能够尽量切除掉癌细胞，延长患者的生命。

还有一些情况，虽然并不是癌症，但子宫的细胞变性严重，如果是已经生了孩子，已经没有生育的需求，为了防止细胞癌变，病情恶化，也建议做子宫切除。还有，虽然子宫并没有癌症，但直肠或是膀胱这些接近子宫的器官发生危及生命的梗阻或癌变时，很有可能会波及子宫周围，引起子宫癌变，所以采取子宫切除后可以预防。

2. 某些良性病变

一些子宫的良性病变虽然短期内并不会危及患者的生命，但为了患者的日常生活和健康着想，也需要将子宫切除。

我们经常碰到的就是近年来在妇女朋友们中发病率非常高的子宫肌瘤。一般情况下子宫肌瘤很小，子宫肌瘤症状不明显，出血量也不多，考虑到患者生育的需要，前期都会先做药物治疗或单单切除子宫肌瘤，但是对一些肌瘤巨大，大于 5 厘米，已经引起了严重的出血，还压迫临近的器官，或者多发性的肌瘤，单纯的肌瘤摘除没有办法根治，严重影响女性身体健康，就要及时进行子宫手术切除。

还有一些子宫疾病，单做针对性的治疗可能没有办法根除病灶，需将子宫全部切除才能解决。比如子宫内膜异位症引起严重疼痛、盆腔感染严重而反复或严重的骨盆腔粘连，可能就要将子宫全部切除才能起到治疗的效果。

3. 不定期、持久的大量出血

有些患者长期月经量过多、经期过长，以为是月经不调或是压力大出现的小问题，只要调养一下或是多休息就能恢复正常，更没想到要上医院检查，实际上这样的情况很多都是子宫内膜增生引起的功能失调性子宫出血，如果是不典型增生，年龄大、无生育要求，不能按时随访时，就要做子宫切除。

有个 46 岁患者诊断出子宫内膜增生后做了刮宫术，她当时对病情很不在意，说："子宫内膜增生，小毛病，我姐也得过，刮过以后吃点儿药就行了，好几年了都没事……"我说："先等结果出来，咱们再看，你拖了挺久了，既然来了就彻底弄清楚是什么病，这样也放心些对不对？"因为她来医院前出血的情况已经维持了一年多的时间，出血量也比较大，我担心会跟她姐姐的单纯性增生不同。

一个星期以后，她的病理结果出来，是中—重度不典型增生，我建议最好是切除子宫，她不理解，情绪很激动地说："同样是增生，为什么别人只需要吃药，我却要切除子宫这么严重？"中—重度不典型增生癌变率高达 30%，而她也没有了生育的要求，多次刮宫治疗或是单纯靠药物仍有风险，只能做手术切除才能解决出血问题。

在多次安抚情绪稳定后，我详细跟她解释了不典型增生癌变的可能和危害，为了未来着想，她还是同意手术，只是很后悔在发现月经不正常、量多的时候没有重视，如果早点儿发现，说不定不会这么严重。所以说，如果发现功能失调性子宫出血的症状，一定要尽早诊断，尽早治疗。

4. 紧急状况

还有一些紧急状况，医生会根据患者的情况做子宫切除的决定。这种情况比较多见的是在分娩时引发了严重并发症，如治疗无效的产后大出血、子宫破裂等，就需要将子宫全切除，以保全产妇和小孩。

还有一些盆腔化脓和感染情况比较严重的盆腔感染、子宫积脓、子宫内翻、子宫脱垂等不做子宫切除就不能完全起到治疗作用的情况，一般都建议将子宫切除。

TIPS：子宫切除了，卵巢要切吗

有的女士做了或准备做子宫切除手术，她们往往也会问我这个问题："柳大夫，您说子宫都切了，卵巢是不是也要切呢？"

这个问题要这样看，我们不能怕某个器官生病，就提前进行预防性的切除。大家都知道，卵巢是重要的内分泌腺体，如果卵巢并未发生病变，是正常的，就应该尽可能保留。从某种意义上讲，保留卵巢，就等于留住了女人的青春和活力，能够起到延缓衰老的作用。

如果在切除子宫时检查发现有一侧的卵巢出现病变，例如有囊肿等现象，可以考虑切除这一侧的，保留另一侧卵巢。说通俗点儿，两个卵巢肯定比只有一个好，有一个也比一个都没有要好。所以，切除卵巢要根据自己的身体情况出发，不是想切就要切的。

癌症
是如何找上门的

　　这么多年我在门诊的感受就是，肿瘤患者越来越多了，而且有一种年轻化的趋势。虽然很多人仍然"谈癌色变"，但是直到得了病才会意识到自己的身体出现了如此大的问题。但几乎所有人，尤其是年轻人，来看病总会问上一句："为啥是我得癌症？"

 乳腺癌，堵出来的肿块

　　我刚刚参加完一个关于乳腺的学术会议，会议上的一份最新资料显示，近20年间，北京市城区乳腺癌发病率上升了91%，乳腺癌已成为城市女性的主要杀手之一。

　　我遇到过一位年轻的白领，30岁出头，体检查出了乳腺癌。原来她是工作中的"拼命三郎"，但这一得了病，跟我一起认认真真地分析了得癌的原因。

她说在她得病之前，12 点之前没睡过觉，其实晚睡在她这个年纪不算什么大事，但她这次真的认识到晚睡非常不好。

　　她说她从上学开始就熬夜，那时候考研究生、考托福，就算不学习的时候又网聊、BBS，要不就跟同学朋友泡夜店，该学也学了，该玩也玩了，但是就是没睡过一天好端端的整宿觉。

　　她在得病之后与我分享这些，不仅是对自己得病原因的回顾，同时也希望我能向更多的人传输这个理念：我们应该在能控制的时候多控制，在能早睡的时候尽量善待自己的身体。有些娱乐，电影也好，K 歌也罢，想想无非是感官享受，过了那一刻，都是浮云。唯一实实在在的，是你健康的身体。

　　其实不仅是乳腺癌，很多疾病都是熬夜"熬"出来的，这是为什么呢？本来晚上睡觉的时候就是一个身体清理废物的过程，全身都能得到应有的休息，但是一熬夜，各个器官就不得不"加班"，一加班可就没空排毒了，那代谢产生的垃圾不就堆起来了嘛！堵在哪里哪里就生病根儿！

　　我们的乳腺就像是人体的一条高速公路，如果路上堆积了很多垃圾而且没有人清理，天长日久就成了拦路霸。开始车辆少，可以绕着走。终于有一天包块出来了，疼痛来了，尤其月经前一周，气血都运行到这里，各地车辆都到这里了，车多路窄，越走越慢，最后乳腺这条"高速公路"堵死了，自然肿块就出来了。

　　那垃圾怎么就堆积起来无人清理了呢？其实有很多种可能性，比如月经不正常就可能导致这种情况。有人说女性每个月的月经其实都有一定的排除毒素的功能，月经能将血液中部分代谢废物带走，一些病菌也会随着血液循环汇集到子宫部位排出体外。因此，每月的月经可以说是在帮女性排毒了。如果出现月经不调、闭经等情况，就是这条排毒通道出了问题，毒素排不出来自然就要堆积成肿块了。

除了月经不调外，还有一个很重要的诱因，就是人工流产。虽说我是主治内分泌问题的，但是也时常听到其他同事说起现在来做人工流产的姑娘越来越年轻化，而且有的甚至已经做过了好几次了，自己还不注意，子宫壁都薄得像纸了，真的是对自己的身体一点儿都不爱惜。

很多人都知道频繁流产可能造成不孕，但是殊不知它还有一个更可怕的"功能"，就是使患者得乳腺癌的概率大大提升，一般做过 2~3 次人流就能认定为频繁。

流产和乳腺癌怎么有关联的呢？癌症其实很多情况下是由于内分泌失调，好细胞没有坏细胞能量大，细胞就癌变了，所以癌症的罪魁祸首之一就是内分泌的变化。而女性在怀孕时，生殖系统会发生变化，包括子宫、阴道、外阴和乳房，而这些变化都是由体内激素水平的变化引起的。

正常情况下，怀孕生子是一个整体的过程，在这个阶段中，我们身体中的激素水平会缓慢地进行调整，但如果中途突然终止妊娠，激素水平猛然下降，就像是坐过山车一样，到了最高处突然停电，卡住走不动了。激素水平的忽然改变就使得本来准备好的"内容"堵住了，乳房发育的"原料"都准备好了，突然就跟人家说要停工，那"原料"没有地方用就会堵在乳房里，可能形成乳腺小叶增生、乳房肿块等，垃圾越堵越多，自然患乳腺癌的风险就更大了。

而且别觉得自己人流的次数不够"频繁"就存着侥幸心理，做一次人流对身体的伤害都很大，尤其是 20 岁以下的女性，乳房发育刚完成，就对乳房进行一次这么大的刺激，必然更加容易出现异常增生，增加日后患癌的风险。

关于乳腺癌，我还要告诉诸位一点儿有用的知识：便秘和乳腺癌存在一定的联系，便秘患者的癌变风险是比常人高出很多的。

我曾参加一个学术报告，在场的一个国外专家称曾对千余名妇女进行乳房疾病检查，分析发现大便正常的妇女，即每天一次或以上者，乳腺细胞发育异常仅占 5%，而重度便秘的妇女，患癌变危险性是正常人群的 5 倍。

其实我刚听到这个结论时，也很惊讶。便秘确实对人体很不好，但是也应该是消化道的问题，怎么会跑到乳腺上去了呢？

这是因为粪便在肠道停留时间过长会分解出一种化合物，导致人体雌激素和雄激素分泌失调，血中雌激素含量增高，刺激乳腺组织让乳腺细胞增生。看，又是内分泌失调造成的！

这看不见摸不着的内分泌既保证着我们的生活，又同时给我们带来健康隐患。而女性要预防乳腺癌发生，除了坚持定期体检以外，还要尽量做到“三少”和“一早”。

“三少”是什么呢？“三少”就是：少吃肉、少喝酒、少用保健品。科学研究发现，乳腺癌的发病率和动物脂肪摄入是成正比的，所以肉要少吃；酒也要少喝，特别是善于应酬的女性，酒精会刺激乳腺诱发疾病；最后要少用保健品，女性保健品中雌激素过多，你脸上皮肤美了，但是会导致子宫肌瘤、乳腺增生甚至是乳腺癌。

那么"一早"是什么呢？"一早"提倡的是早生育。现代人的观念变了很多，都不太着急生孩子，觉得自己还没有玩够呢，就导致很多都市女性 30 岁以后才生育甚至不愿意生育，殊不知这也会成为乳腺癌的诱因。其实，女性第一次足月的妊娠可以使乳腺上皮趋于成熟，增强上皮细胞的抗基因突变能力，并产生大量对保护乳房健康有利的孕激素，为乳腺组织增生"消肿"。

宫颈癌，可传染的癌症

癌症能传染？很多人听了这个结论都很惊讶！要是癌症会传染的话医生怎么办。确实，在目前的癌症中，绝大多数癌症都无法传染。但是，女性第一杀手——宫颈癌却实实在在是由传染源造成的。

这是因为宫颈癌的诱因是一种病毒，称为人乳头瘤病毒，英文名字是 HPV。这种病毒传染途径一般是通过性行为，但接触不干净的卫生洁具和用品后也可能造成感染。而且并不是一接触病毒就会发病，只有长期、持续、高负荷地接触病毒，才会引起宫颈的癌前病变和宫颈癌。

在临床上，看到被宫颈癌折磨的患者我总是觉得很可惜，因为这个病是目前人类很多癌症中唯一病因明确，通过早期预防和治疗完全可以消灭的癌症，很多宫颈癌前病变在门诊即可筛查、诊断，发现后可以及时治疗。

那 HPV 的主要目标是哪些人呢？比如结婚早的女孩子，或者是生过好几胎的、私生活比较混乱的等，都可能是宫颈癌的袭击对象。有明确的研究表明，在没结婚的或没生产过的女性中，宫颈癌的发病率明显较低。

宫颈癌更偏爱结婚生子的人？在一定程度上可以这么说，因为结婚过早的人或者是生孩子特别早的人的生殖道发育尚未成熟，对致癌因素的刺激比较敏感。17 岁前有性生活与 17 岁以后开始性生活的女性相比，宫颈癌发病率相差 5 ~ 12 倍。原因是 17 岁前女性的子宫颈上皮细胞发育不全，更容易发生上皮细胞变性，进而诱发癌症。

所以我会经常提醒现在年轻的女孩子，身体是自己的，不要因为一时冲动而为自己的健康埋下隐患。不要一时冲动做出让自己后悔的决定，多想想自己的未来和父母，谁不希望自己的孩子健健康康地度过一生？不要因为自己的冲动而让他们伤心欲绝！

宫颈癌还是一种"夫妻癌"，什么是夫妻癌呢？就是夫妇可能都得了癌症，虽然不是同一种，但是是有相互联系的。100 对死亡夫妻中可能有 5 对都是"夫妻癌"。原因很简单，他们接触了相同的致癌因素，只是癌细胞在体内潜伏多年，一直没有发病。因此，夫妻中有一人得癌，另一方就应定期到医院进行防癌检查。

"夫妻癌"的部位可以相同，也可以不同，性质可以一样也可以不一样。最常见的是男性患阴茎癌，女性患子宫颈癌。这是因为男性包皮过长，经常在包皮腔内积存包皮垢，而包皮垢含大量细菌，包皮垢长期刺激，可产生慢性炎症，增加人乳头状瘤病毒感染机会。

阴茎癌患者在性接触过程中，可将大量病毒转移到女性的生殖器官、会阴部等。所以说，男性一旦患阴茎癌，同时也增加了配偶患宫颈癌的危险性。

而宫颈癌还有一个致癌因素就是性生活混乱，或者老公性生活混乱。因为归根结底宫颈癌还是由病毒引起的，如果男性婚外性伴侣越多，其携带致病因素的概率越高，越容易使对方受感染。

知道了宫颈癌可能的入侵途径，那怎样去预防它呢？一方面是要做到洁身自爱，尽量让自己远离混乱的性生活。另一方面就是定期到医院做抹片检查。30~60岁的女性，应该每年至少检查一次，要知道，早期宫颈癌的治愈率可以达到100%。

但令人遗憾的是，有数据统计发现，我国25岁以上的女性，从未做过宫颈抹片检查的比例竟超过了50%，这也是为什么宫颈癌发病率如此高的重要原因。唉，说到这里，我想起了著名的香港女演员梅艳芳，40岁就死于宫颈癌，如果能提前定期做检查，相信她不会如此早地离开我们。

除了没有去做妇科检查的意识，还有一些女人觉得尴尬，怕疼，可是我常常对身边的女性朋友讲，千万不要因为觉得尴尬或害怕什么就不去定期检查妇科，你感到一点点尴尬也在所难免，但是想到宫颈癌是可以夺人性命的疾病，这个问题就相对小得多了。如果你与你的妇科医生此前进行充分的沟通，并且可以放松身心去配合医生检查的话，大多数情况下，这个过程将会是从容的经历，只需要几分钟时间而已，你不会感到身体很疼痛。

第四章

－女人要幸福－
既要怀得上，还要生得好

最近，我听到身边很多朋友都抱怨："怎么要个娃那么费劲啊！"确实，有数据统计显示，中国已婚夫妻中，患上不孕不育症的比例竟接近20%！也就是说，五对夫妻里面就有一对是无法自然怀孕的。

其实，不孕不育症说白了就两方面，男人的"种子"出了问题是不育症，女人的"土地"不能自然受孕叫不孕症。在我们专业医生看来，令人烦恼的不孕症其实很大程度上是和体内的内分泌水平息息相关的。

"越想要，越要不上"
的尴尬

经常会有患者来问我："柳大夫，我都结婚半年了，可是还是怀不上孩子，身边的同学、同事都在微博上、朋友圈里秀孩子，我真的好着急！为什么我就怀不了孕啊？"

的确，我们生活中也总会遇到这类现象，那些结婚多年、越想要孩子的夫妻就越是要不上，而那些同居的小情侣们明明不想要小孩，却总是一不小心就怀孕了。难道真的有"越想要，越要不上"的怪圈吗？

"我是不孕症吗"

我在出门诊时，经常来个患者就说："柳大夫，我有不孕症，你快给我看看怎么回事儿！我到底能不能治好啊？"这时候我通常会说："你先别那么着急给自己归类，你怎么就知道自己不孕呢？还说不定就不是呢。"听了我的话之后，一些患者会很开心自己有脱离"不孕症"的希望，但是还是会有一些人会更加着急，说："我就是不孕，我都要了好久的小孩了也没要上……"这个时候我真的是哭笑不得。

由此可见，其实大多数人是不理解不孕症这个病的。那么，什么才叫不孕症呢？难道想怀孩子怀不上就是不孕吗？

答案当然是否定的！我们所说的不孕症是指婚后未采取避孕措施，有正常性生活，同居1~2年而没有受孕者，这里正常的性生活指每周大于等于两次。

所以你看，当你把自己归类为不孕症时，也要问问自己：第一，性生活的时候是不是没有采取任何避孕措施？第二，自己的性生活频率是不是达到了每周至少两次？第三，持续这种规律的不避孕的性生活达到一年了吗？如果这几个问题的回答中有一项是否定的，那就别急着把自己归类，放松心情再试试看，说不定就会有希望呢。

而如果上述三个问题的答案都是肯定的，那么你们夫妻二人可能就真的迈入不孕症的行列了。

● 不孕就一定是女人的问题吗

我还记得有一个年轻的女患者当得知自己是不孕症时就哭了起来，她说："我和我老公感情特别好，我们这3年一直想要个孩子，我真的觉得特别对不起他，我不想再耽误他了……"

听到这儿我赶紧把她打断了。我说："姑娘，我知道你很着急，很能理解你的心情，可是你也不能什么都不知道呢就把责任都往自己身上揽啊！"结果那姑娘特别吃惊地对我说："柳大夫，这难道不是我的问题吗？"

在很多老一辈人看来，怀不了孩子那就是女人的错。但是现在，居然还有一些年轻人在对待这件事情的态度上保留着如此的"封建思想"。这么跟大家说吧，在10对不孕的夫妇里，有4对是女方的问题，3对是男方的问题，2对是男女双方都有问题，剩下的1对可能目前找不到原因，就是暂时怀不上了。

听了我的分析后，那个女患者的情绪慢慢平复了一些，于是我建议她和她丈夫分别去做些检查看看到底问题出在哪里。结果她检查后双侧输卵管是通畅的，排卵也正常，内分泌水平也是好的。反倒是她丈夫的精子数目和活动度都偏低。好在最后通过药物治疗，他们成功地怀上了孩子。

所以如果出现了问题不要急着埋怨自己，我们应该积极地去找出问题的所在，再去对症处理。这才是解决问题的最佳方法。如果这个女患者和她的丈夫没有按照科学的方法去排查、治疗，那么可能就不仅仅是没孩子的问题了，这个家可能都不存在了。

● 压力过大反而不利于受孕

有许多夫妻已经做了全面的检查，结果双方都没查出有问题，可是依然不能如愿以偿。而这些夫妻通常都有一个通病，早些年忙于工作压根没把要孩子提上日程，随着年纪越来越大，身边同龄的亲戚、同事的孩子都可以打酱油了，而自己再拖下去也成"高龄产妇"了，于是就开始着急了。这下来自双方父母的压力、自己的压力以及时间的紧迫感使他们长期处于紧张甚至焦虑的状态。明明没有什么明显的器质性病变，但就是怀不上。越怀不上就越着急，越着急就越怀不上，于是陷入了恶性循环。

这很有可能就是因为精神压力过大导致内分泌紊乱和激素水平的异常，不利于受孕。我在临床上也经常能遇到这样的例子。在这种时候，通常我能做的就是给他们信心，告诉他们既然"硬件"没事，那咱们就放松心情，提升一下"软实力"，毕竟这种事情真的急不来。

事实上适当地放松心情，不再为了怀孕而同房后，很多夫妻不仅感情更加融洽，甚至还会有意外惊喜。我曾经接诊过的一对夫妻，也是"硬件设施"都没问题，之前已经尝试了各种偏方、秘诀，却也仍然求子无果。他们最终决定做试管婴儿，于是就不再理会那些所谓的偏方、秘诀，等着人工受孕了。但是在做试管婴儿之前，他们竟然顺利地自然怀孕了。

由此可见，如果"硬件"没有问题，那么你能做的就是放松心情，耐心等待，把自己调整到一个最佳的状态，去迎接这个可爱的小生命的到来。

所以说，如果你尝试了很久却依然没有怀孕，那么首先要做的事情就是判断一下自己是否属于不孕症。

如果不是，那么就放松心情、规律同房，静候新生命的降临。

如果是，那么就和丈夫分别去检查，有问题咱们就治病，没问题就接着去尝试。不要给自己、给爱人太多的压力。首先，我们自己得放松心情，消极的心理只会进一步降低成功受孕的可能，而积极的心态才是面对问题的方法。如果你觉得自己不能很好地缓解这种紧张、焦虑的情绪,千万记住一定要及时求助于妇产科医生或者心理医生。

"越想要,越要不上"的确是一件尴尬的事情,但它确实也有一定的道理。要想打破这个怪圈,首先就要从改变心态做起。放轻松些,说不定惊喜就在等着你呢!

种子没问题，
多半是土地的事

> 我常常会跟我的患者说，其实怀孕的过程就像是农民播种的过程。丈夫提供精子，妻子提供卵子，精子与卵子在女性的输卵管中相遇，结合形成受精卵。如果到这一步都是成功的，那么整个过程算成功了一半。
>
> 受精卵的形成意味着这颗种子有了生长的能力。而接下来就是能不能为它找到那块最适合生长的土地了。这块土地就是女性的子宫内膜。

怀孕，看似简单实则复杂

每天面对那么多的不孕不育患者，经常向我提出这方面的问题，有时候我不禁会想：怀孕真的是那么难的一件事吗？

我们人类繁衍生息到现在，可以说生育能力和吃饭、喝水一样，是必不可少的。那么既然是必备的生存技能，它就一定不会是那么复杂、难以掌握的。过去的医疗技术水平并不发达，可是也并没有妨碍人们怀孕、生产。反倒是现如今，不孕不育的人群如此之巨大，如果你早上来我们医院的挂号处看看，相信一定会被那个场面惊呆的。

我常常会跟我的患者说，其实怀孕的过程就像是农民播种的过程。丈夫提供精子，妻子提供卵子，精子与卵子在女性的输卵管中相遇，结合形成受精卵。如果到这一步都是成功的，那么整个过程算成功了一半。

正常成年男性的一次射精量为 2~6 毫升，而就是这么几毫升精液中就含有上亿个精子。大多数情况下最终却只能有一个精子和卵子相结合。所以我也经常会跟一些孕妇开玩笑说："可不要小瞧了你们家宝宝，他可是赢在了起跑线上，战胜了上亿个兄弟呢！"

受精卵的形成意味着这颗种子有了生长的能力。而接下来就是能不能为它找到那块最适合生长的土地了。这块土地就是女性的子宫内膜，之前我们说过，每个月都要困扰我们几天的"大姨妈"，那就是脱落的子宫内膜。它也十分"与时俱进"，具备极佳的改革创新精神，每个月都要换一批"新人"，以最饱满的姿态去迎接受精卵的到来。

如果受精卵在合适的时间到达了合适的位置，那么它就会在这里不断分裂生长，不出意外，40 周后就会有可爱的宝宝降生了。

估计看到这你会说了，柳大夫，这怀孕看起来挺简单的嘛，也没那么复杂啊。是啊，这么说起来是挺简单的，可是这其中的每一步都不容出错，可以说是一失足成千古恨，那就和小宝宝说再见了。

种子长得好与坏，土地是关键

我们都知道，受精卵这颗种子来到了子宫内膜上，这之后的"阳光""雨水""营养"就都要由子宫内膜来提供。种子长得好不好，土地是关键。而受精卵能不能顺利发育好，子宫内膜也就自然成了重中之重。

有一个 20 多岁的女患者给我的印象特别深，当时她来看病的时候已经结婚两年了，婚后一直想要孩子却一直要不上。她丈夫家里虽然不是什么豪门但是条件还算比较好，又只有那么一个儿子，婆婆给她的压力特别大。

她呢，月经量特别少，周期还长，还说自己从来没怀过孕。我当时给她做了一个 B 超，看到她子宫内膜特别薄，感觉不太对劲，就又问了一句以前没有做过人流吗？那药流呢？后来她才跟我说了实话。

原来这个姑娘在嫁给她老公之前是怀过孕的，还不止一次。有几次是吃药的，还有一次药物流产没有成功，就去了一个小诊所把手术给做了。从那之后月经就开始不正常了，但是也一直都没在意。

那姑娘跟我说着说着就开始哭了，她觉得自己能遇到自己现在这个老公特别幸运，但是不想让他知道自己以前的事情，就都瞒着他，可是现在又觉得自己不能怀孕就更对不起老公了。她还说："柳大夫，我以前真的没想怀孕，可是就怀上了，现在拼命想怀就是怀不上，我真的快崩溃了，你说我这是不是真的是报应啊？"

说实话，这个姑娘能有今天的遭遇，完全是年轻时不爱惜自己"作"

出来的。但是我看她那个样子，就安慰她说："姑娘你先缓缓，咱们有病就看病，别想那么多，什么报应不报应的，你呢，就是子宫内膜太薄了所以不容易怀孕。我给你开点药，咱们调理调理，你还年轻，还有机会，先把身体养好了，肯定有希望。"

这个姑娘就是典型的"地"不好，人工流产手术和药物流产都会损伤子宫内膜，虽然我们每个月都来大姨妈说明子宫内膜在不断地更新，但是如果这样经常去人为地伤害它，也是会影响它的增殖能力，最终造成内膜薄、不容易怀孕，或者即使怀上了也会容易发生流产。

好在经过几个周期的规律药物治疗，这个姑娘的月经逐渐规律了，后来也梦想成真，怀上了孩子，也守住了家庭。

我在这里要向广大女性朋友呼吁，我们一定要爱惜自己的身体，不要随便把自己交给一个人，尤其是在不懂事的时候。如果没有怀孕的打算，那么平时一定要采取避孕措施，不要总是心存侥幸。而如果需要做人工流产，也一定要去正规的医院做。我已经见过太多被不正规的操作坑害的患者了，其中还有许多是不懂事的孩子，如果只是为了解决一次意外而造成终生不能生育，那这代价真的是太大了！

● 感染和炎症会阻碍孕育生命

我还记得有一位患者问我说："柳大夫，我有盆腔炎，这个会影响我怀孕吗？"这当然会影响！而且影响很大！我当时就跟她说："你这个盆腔炎一定要好好治，首先你自己肯定会有不舒服，其次如果拖下去也是会导致不孕的。"所以说不要以为"地"够厚就能长出好苗，这地的质量也是十分关键的，肥美的庄稼地和盐碱地那能一样吗？

最近有一个30多岁的女患者来看我的门诊，其实她已经有一个快10岁的女儿了，这不二胎的政策开放了，她老公和婆婆就开始催她再生一个。但是最近突然肚子疼得厉害，感觉阴道分泌物也不太正常了。后来我一问，原来是前阶段她还在经期就同房了。

我当时就想，这再着急要孩子也不能一两天都等不了啊，经期同房是特别容易使病原体入侵从而导致生殖系统感染的。经过检查，这位女患者就是这种情况。

好在发现得早，经过积极的抗生素治疗，两周后她再来找我复查时已经好转了。我跟她说："我能理解你的心情，但是要孩子呢不能太着急了。这次幸亏及时治疗了，要不然这种急性的感染是可以导致不孕的，以后一定要注意。你年纪也还可以，把自己调理好了，用最佳的状态去迎接宝宝那多好啊，是不是？"

其实，因为感染、炎症导致不孕的患者在临床工作中并不少见。这类感染通常都会有一些病因，像经期同房、使用不干净的卫生巾、不洁性行为等。起病初期常常会有发热、腹痛、阴道分泌物改变的表现。如果没有得到正确、及时的治疗，或者治疗过程中没能好好地遵守医嘱。那么因为这个"小病"导致不孕的概率可达20%～30%，算是相当高的。

所以说想要顺利怀上宝宝，我们平时就要注意爱护自己的身体，尽量减少手术或药物的干预，避免感染、炎症的侵犯。

导致女性不孕症
的两个"杀手"

虽然怀孕的过程可以简单地描述为"种子找土地"，但是这里面的每一个步骤都要受到很多因素的影响。如果你有正常的性生活却始终怀不上，那么不光你要去医院看看，我也建议你的丈夫同时就诊于相关的科室，比如男科或者生殖中心。

其实在不孕的夫妇里，有20%~40%是男方单方面的问题，也就是精子方面出了问题，这其中包括精子数量少、不活跃等，这方面的问题也通常比较容易检查出来。与之相比女方的因素就包括很多了，但其中输卵管堵塞和排卵障碍如多囊卵巢综合征是极为常见的。

 输卵管，受精卵的必经之路

因为形状非常相似，所以在和患者沟通时，我常常把子宫叫作"大鸭梨"。这个"大鸭梨"就安稳地躺在盆腔里，通过三个"通道"与外界相通。其中一个是阴道，子宫通过它接收精子。另外两个通道就是"大鸭梨"头上的两条"小辫子"——输卵管了。

为什么输卵管的问题能占到女性不孕因素的一半呢？首先我们要了解输卵管在怀孕的过程中都发挥了哪些作用。

女性排卵后，输卵管通过它末端的"手"——输卵管伞，把卵子拾起，从而使卵子进入输卵管中，有了与精子结合形成受精卵的机会。紧接着受精卵这颗种子通过输卵管进入子宫腔内，才有了生根、发芽的机会。

所以你看，这两根管子虽然看起来不起眼，但它在怀孕的过程中扮演的角色还是很重要的。

我还记得有一个 25 岁的女患者，其实她最开始来看我的门诊并不是因为怀不上孩子，而是因为痛经。她说自己月经一直不正常，从上大学开始痛经就越来越厉害，每次都是来大姨妈的那天最严重，有时候拖拖拉拉地要持续半个月。听到这我就怀疑她可能是子宫内膜异位症，后来做了妇科检查也证明了我的猜测。

因为子宫内膜异位症的患者中有一半左右是不孕的，所以我就常规性地问了问她有没有孩子，结果她当时就哭了出来。她说："柳大夫，你都不知道，我结婚两年了，一直想要孩子，可是总怀不上，就因为这个我婆婆对我意见特别大。可是不是我不想要啊，怀了孕不来月经了，那我这病不也能好了吗？真的没人理解我，再这样下去我真的得离婚了。"

我连忙跟她说："你先别胡思乱想，你这个病呢是子宫内膜异位症，现在我估计你的不容易怀孕也是这个病闹的。咱们先查一查，如果真是这样，那咱们就治病，今后还是有很大的机会可以怀上孩子的。"

她听了我的话哭得更厉害了，她说："柳大夫，你说的是真的吗？我早点来找你看病就好了，这几年我心理压力特别大，我甚至觉得我这辈子都当不了妈妈了。"我跟她说："快别哭了，咱们先看病治病，剩下的以后再说。"

她做了腹腔镜，结果也证实了我之前的判断，就是子宫内膜异位症。她的一侧输卵管周围产生了广泛的粘连，好在另一侧的情况好一些。

我们不妨设想一下，如果输卵管周围产生了粘连，那么就可能会导致输卵管的扭曲、梗阻，也就是把这条路断掉了。路没了，就可能导致精子和卵子不能相遇。如果受精卵都形成不了，那还说什么怀孕呢？这也就是子宫内膜异位症导致不孕的原因之一，我们这位女患者也是这样。

出院前我跟她说："之前你怀不上呢主要是因为输卵管被粘住了，咱们通过手术已经尽量把粘连的地方都处理了，所以你要对自己有信心。再说了，即使还是怀不上咱们还有辅助生殖的技术不是吗？总之会有办法的。"

大概一年之后她又来我的门诊，不过不是来看病的，而是来告诉我她怀孕了，专门过来让我也分享一下他们一家的喜悦。可以说这个时刻是我们做医生的幸福感最强烈的时刻。我也由衷地为他们感到高兴。

🔵 宫外孕，所有女人的噩梦

其实输卵管不通畅通常会有三种结局：第一个是正常怀孕；第二个是

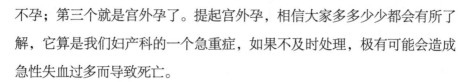

不孕；第三个就是宫外孕了。提起宫外孕，相信大家多多少少都会有所了解，它算是我们妇产科的一个急重症，如果不及时处理，极有可能会造成急性失血过多而导致死亡。

既然是宫外孕，那么不难理解，就是受精卵怀在子宫以外的地方了。那输卵管不通是怎么导致宫外孕的呢？

我们都知道受精卵是十分金贵的，它就像一个娇生惯养的大小姐，脾气大着呢。如果输卵管这条通往子宫的路过于崎岖难走，那它走着走着就会闹脾气，于是就停下来不再走了。它这一停自己倒是舒坦了，我们女性朋友们可就惨了。这怀是怀上了，可是位置不对，那可是会要命的啊。

我还记得很久以前有一次在急诊值夜班，半夜1点多来了一个患者。当时是她丈夫用小平板车推着她来的，表情十分痛苦，脸白得像纸一样，身体蜷成一团。我当时就觉得可能是宫外孕，跟他们迅速地了解了一下情况。

原来她已经"怀孕"6周了，那天傍晚5点就开始肚子疼，晚上8点多的时候先去了别的医院看，当时大夫就说她是宫外孕，要手术。但是这夫妻俩想要孩子好几年了，这好不容易才怀上。于是这女患者坚决不同意，就说是大夫给看错了，自己就是干活累着了，休息休息就好，跟大夫签了字就回家了。

她回去之后肚子疼得越来越厉害，阴道也开始流血，这才又来的急诊，当时基本上已经休克了。我们给她做了急诊的手术，就是输卵管妊娠破裂了，如果再拖下去后果真是不敢想象。

我在这里又不得不多说一句了，许多患者在得知一个他们不愿面对的结果时就觉得是医生看错了、故意的，也不配合治疗。要知道我们每做出一个诊断都是结合自己所学的知识和工作中的临床经验来综合判断的，是要负责任的，所以又怎么会故意坑害你呢？我们及时发现问题才有解决问题的时间和余地，否则出现后果了再去干预肯定是要付出代价的。

最后提醒大家，要想成功地怀上宝宝并且怀在正常的地方，输卵管的通畅非常关键。通常会影响输卵管通畅的原因，包括像盆腔炎症或子宫内膜异位症所导致的粘连、肿瘤的压迫，以及输卵管本身发育的异常等。如果你有上述疾病的危险因素，那么就需要到正规医院进行输卵管通畅试验。这项检查技术目前在国内已经很成熟，也已经帮助了很多女性朋友解决了难题。

● 揭开多囊卵巢综合征的神秘面纱

据我近 20 年的诊治经验来看，多囊卵巢综合征在所有导致不孕不育的因素中所占的比率最高，可以说是夺走我们女人终身幸福的"头号杀手"。那么，多囊卵巢综合征究竟是一种什么病呢？它真的有那么可怕吗？

多囊卵巢综合征其实是一种病因比较复杂的神经内分泌、代谢性疾病。诊治依据主要有三个：一是卵泡发育出现障碍，也就是我们常说的排卵异常；二是体内的雄性激素过多，患者看起来体毛比一般人重，肤色也较暗沉，脸上还经常会长痤疮；三是超声检查卵巢呈多囊样改变。

千万不要小看了这个病，很多夫妻一直要不上孩子，就是多囊卵巢综合征惹的祸。这种病极易导致女性不孕，反复流产，并且还会产生很多的并发症，比如说糖耐量异常啊，非胰岛素依赖性糖尿病啊，肥胖啊，高血压啊，等等。可以说，它算得上是我们女性朋友们的"冷面杀手"。所以，我们女性不管有没有患这个病，一定要紧紧提防，千万不要对它掉以轻心。

有一位患者给我的印象挺深的，她是一名多囊卵巢综合征患者。当然，刚开始她并不知情。

在准备怀孕之前，她想着先把自己多年来月经不调的毛病治好，于是，就去我们院的妇科就诊。我的同事给她做了一系列常规检查，并没有发现有什么异常。通过详细询问了她的一些情况，这位同事建议她去妇科内分泌科做进一步检查。妇科内分泌科的另一位同事给她检查了一下血液中的各项激素水平，发现她除了雄激素水平偏高之外并没有其他明显异常。"这个不会影响我怀孕吧？"她的担忧明明白白地写在脸上。

我看了她的检查报告，心里初步断定：她可能患有多囊卵巢综合征。为了进一步确诊，我给她做了 B 超，检查她两侧卵巢的小卵泡是否超过10 个。果然，她的小卵泡数量多达 20 个！所有的检查结果都表明她患有多囊卵巢综合征。

"那我还能不能怀孕呢？"她在得知了自己的病情后，神情紧张，一脸担忧地问。

"这个病确实会对怀孕产生影响。"看她一脸的疑惑，可见她对这个病可以说是一无所知。

"简单地说，多囊卵巢综合征就是内分泌失调导致的卵泡的排卵不规律。正常情况下，卵子发育成熟后，可以冲破包裹在卵泡的膜，然后被输卵管抓走，等待与精子会合。像你这种情况，就是卵泡生长受影响，没有成熟卵泡发育，就没有排卵，导致月经不调，不容易怀孕。我这么说，你现在应该能明白，我为什么说这个病会影响受孕了吧？"

"嗯，我明白了。不过，柳大夫，这是不是说，我这辈子都不可能怀上孕了？"她一脸的急切和担忧。

"不要太紧张，患有这种病的人很多，并不是说怀不上孩子。现在，咱们要做的就是积极治疗。如果疗效好，大多数是能怀上的。"

在这里，我再多说一句，虽然多囊卵巢综合征确实会给想要孩子的夫妻们带来不少的困扰和烦恼，但一定不要灰心，更不要自己给自己判"无期"，认为这辈子都怀不上孩子了。目前，临床上有很多治疗方法，非常多的患者经过积极的治疗后，成功地怀上了孩子。所以，一定要对自己有信心。

哪些坏毛病会让卵子
跟你说"拜拜"

对我们女人来说，卵巢保养的重要性，不用说大家都知道。有很多女性朋友也非常重视对卵巢的保养。但是说归说，重视归重视，很多人仍然会在无形当中伤害到卵子，其中就包括一些被忽视的恶习。

现在呢，日子是越过越好了，可是压力也越来越大。很多女性朋友，尤其是忙于工作的职场白领、金领，她们的很多生活习惯并不是那么健康，而她们自己也想不到，这些坏习惯会像小偷一样在神不知鬼不觉中偷走自己的卵子，让自己深深地陷入不孕烦恼中。那么，卵子害怕什么样的"小偷"呢？我们又该如何防"贼"，牢牢地把卵子"看"住呢？

卵子害怕经常熬夜型"小偷"

刚成为一名妇产科医生时，我曾有过这样的疑惑：过去的医疗、卫生水平与现在相比，可以说是一个地下，一个天上。以前生孩子似乎就跟吃饭一样容易，可到了如今，顺利地怀上孕怎么就成了越来越多年轻夫妻心里的隐痛呢？

后来，随着在工作中接触的不孕不育的患者越来越多，我对她们的病情以及生活情况也越来越了解，当初萦绕在我心中的疑问也渐渐找到了答案。我发现，在所有的不孕不育患者中，真正先天不孕不育的案例是极少的，主要的还是自己"作"出来的，也就是说自己的一些坏毛病造成的。这些坏毛病中，最常见的一个就是经常熬夜。

熬夜对人的伤害是巨大的，特别是备孕期的夫妻，影响更大。我们都知道，人体的生物钟直接影响着人的内分泌。对准爸爸们来说，在备孕期经常熬夜，就会扰乱生物钟，影响内分泌。而男同志们内分泌紊乱就会影响晚间精液的生成。如果晚上该休息的时候加班工作或忙着其他的事情，就会造成精液的产生困难，从而影响受孕。

对我们女人来讲，熬夜更是"天敌"，不仅会让我们美丽的容颜一天天变得憔悴、衰老，还会影响卵巢的储备功能，让自己怀不上孕。在正常情况下，人体中的各种性激素都是在晚间 10 点到次日凌晨 6 点，人们正熟睡的状态下产生的。所以，女同志们经常熬夜，就会出现雌激素长期分泌不足，从而造成卵巢功能衰退，出现月经不调，无法正常排卵等卵巢储备功能下降的症状。

大家都知道，怀孕了要多休息，这样才能生出一个健康、漂亮的宝宝。其实，备孕前的规律作息也是同等重要的。所以，我会经常叮嘱那些抱子心切的夫妻，在备孕期一定要注意休息，千万不能熬夜。

卵子害怕有刺激性气味的"小偷"

生活中，有很多刺激性的东西，是准爸准妈们碰都碰不得的，比如说烟啊、酒啊、咖啡啊等，这些都是卵子最害怕的。在备孕期，不光是男同志们要主动戒烟戒酒戒咖啡，女同志们也要离得远远的。

曾有一对夫妻因为长时间怀不上孕来找我诊治。当她走进门诊，坐在我旁边时，我就闻到了她身上散发出来的烟味，当时我心里就有点儿谱了。

我先让她去化验科验血、验尿，然后又给她做了 B 超，发现她的身体没什么大问题，正常情况下是可以怀上孩子的。我想她的问题可能出在不良的生活习惯上。于是，我就问那位女患者："姑娘，你是不是经常抽烟啊？"

她说："是啊，都抽了好多年了。最近准备要孩子了，我打算把它戒掉，但有时候会忍不住抽两根。"

"这可不行啊，抽烟对怀孕影响很大的，你和你老公都要戒烟，这是对自己，也是对孩子负责！"我严肃地说，"烟里面含有的烟碱和尼古丁会伤害身体的整个激素系统，容易引起内分泌失调，影响卵巢排卵，这种情况下是难怀上孕的。而且，长时间吸烟还容易引发全身血管病变，子宫的血管也会受连累。即使你怀上了孩子，也容易出现流产或者胎儿发育不良的情况。"

　　我看她若有所思，似乎是明白了吸烟的危害性。不过，我还担心她还有其他的坏毛病，于是对她说："不光是吸烟，其他有刺激性的东西，像酒啊、咖啡呀、可乐啊，都不能碰。经常接触这些东西，不光会影响身体对营养物质的吸收，而且男同志们的精子质量会下降，而女同志们则会出现雌激素和妊娠激素的分泌紊乱，从而影响卵巢排卵和受精卵在子宫内的培植。"

　　"柳大夫，我听你的，我和老公一定先把这些坏毛病改掉，再准备怀孕。这样生出来的宝宝才会更健康、更聪明，对吧？"

　　我笑着点点头。

　　很多夫妻都迫切地想要怀上孩子，看着别人家的宝宝那么聪明、那么可爱，心里真是又羡慕又着急。其实，光着急没有用，关键是找到怀不上宝宝的原因。如果不是夫妻身体方面的因素，那我们就该想想是不是自己的一些坏毛病剥夺了自己为人父母的权利。如果是，那就赶紧戒掉吧！

激素六项
是一定要做的

经常会有患者问我："柳大夫，为什么要检查激素六项呢？"还有的患者考虑到费用问题，会问我："柳大夫，这项检查能不能不做呢？"可见，多数患者对了解自身激素水平的重要性并没有什么概念，有的甚至认为这是一个可做可不做的检查项目。

其实，了解自身的激素水平对备孕期的女性朋友来讲是相当重要的。很多女性朋友就是因为忽略了这一点，所以导致了不孕症的发生。

别忽视了检查激素水平

一天，我正准备下班。一个朋友来到了我的门诊，我看她面容憔悴、心事重重的样子，于是关切地问："今天这是怎么啦，像霜打的茄子！""别提了，最近为了生孩子的事，都快成林黛玉了。柳柳，你不知道，现在生孩子是我们家的头等大事。婆婆看我都36岁了，眼看着快成高龄产妇了，肚皮却一直没见动静，一个劲儿地催我。我老公虽然嘴上不说，但我知道他是非常想要一个孩子的。其实，我也很着急！可是，这两年我也放下了很多工作，老公也很配合，我们也没有采取任何避孕措施，可无论我俩怎么努力，就是怀不上啊！柳柳，你说我该怎么办啊？我会不会这辈子也怀不上孩子了？"

"还不知道原因出在哪里，别给自己乱下判决书！这样吧，我明天上班，上午你来我们医院门诊做一下检查吧！我帮你检查一下，看看到底是什么原因。"

第二天，我给她进行了全面的检查。等检查结果出来一看，其他都很正常，就是内分泌激素六项检查中，有好几项都不达标。原来症结在这里！

激素六项是我们妇产内分泌科最常用的检查项目，包括促卵泡激素（FSH）、促黄体生成素（LH）、泌乳素（PRL）、孕酮（P）、雌二醇（E2）和睾酮（T）六项。

有些准备怀孕的女性朋友伴有月经不调来我儿这就诊，我都会建议她们做激素六项检查。为什么一定要做这个检查呢？这是为了及时了解她们的内分泌功能，以防出现与内分泌失调相关的疾病，从而影响受孕和安胎。万一有的患者确实存在内分泌异常的情况，我还可以根据检查结果确定接下来该采取什么样的方式进行对症治疗。我这么一说，大家应该能明白它的重要性了吧？

在这六项检查中，每个项目都有一个正常值范围。如果像我上面提到的那位朋友那样，其中的有些项指数偏低或偏高，都可能导致不孕，或者危害胎儿成长发育。

比如说，促卵泡激素（FSH）。在正常情况下，育龄期女性的血液中FSH的浓度的正常值分别为：排卵前1.5～10百万国际单位／毫升，排卵期8～20百万国际单位／毫升，排卵后2～10百万国际单位／毫升。临床上，如果FSH值过低，就会使卵子质量下降。没有成熟的卵子，女性就难以成功怀孕；相反，它的值过高也是不好的。有的患者会出现过早衰老，或者出现原发性闭经等症状。

再比如，促黄体生成素（LH），它的主要作用就是促使卵巢排卵。正常情况下，我们女性血液中LH的浓度，排卵前期为2～15百万国际单位／毫升，排卵期为30～100百万国际单位／毫升，排卵后期为4～10百万国际单位／毫升。如果患者的值超过了这个正常范围，说明可能卵巢功能不强，或者患有多囊卵巢综合征；如果它的值偏低，则说明黄体功能不足。而黄体功能不足就会导致不孕症、习惯性流产等病症的发生。

看到这里，相信有的读者可能就会犯头疼了："看到这些医学名词就头疼，这么多数值也记不住啊？"其实，我列举这些数值的目的并不是要大家记住，医院的大夫会帮你判断你的激素水平是否正常。我们真正要做的，就是在需要时要注意做这项检查。

说到检查，经常会有患者问我："柳大夫，什么时候检查激素六项最好？"这个问题我虽然回答过无数次了，但在这里，我认为很有必要再给读者朋友们重申一遍。

女性朋友们可要注意了，最好在月经来潮的第2～4天，空腹去医院抽血化验。如果是长时不来月经的女性朋友，则可以在任何时间来检查。

不可或缺
的黄体

很多女性朋友之所以迟迟怀不上孩子，或者怀上了，孩子在子宫内发育不太好，甚至频繁流产，很大一个原因就是自身黄体功能不足。由于缺乏对黄体功能的了解，所以很多"准妈妈"总是忽视这方面的检查。那么黄体对怀孕来讲会产生什么样的影响呢？我们又可以通过什么办法检测它是否正常呢？

● 保护胚胎的"保安队长"

黄体是什么呢？每当我告诉患者她的黄体功能不足时，很多人都会一脸茫然，不知道黄体到底是个什么东西。简单地说，黄体就是成熟的卵子排出来后卵泡中的残留物。可别以为这些残留物没什么用处，它的作用大着呢！它能够帮助卵巢分泌雌激素和孕激素，使子宫内膜继续生长，为受精卵的着床做好一切准备。

孕激素是在排卵后由黄体分泌的一种激素。正常情况下，它的分泌量在排卵后 7~8 天会达到最高峰，在月经前 1~2 天会迅速下降。如果育龄女性们没有怀孕，它就会这样循环往复下去；如果怀孕了，它会受到胎盘所分泌的人类绒毛膜促性腺素的刺激而持续分泌。在胎儿满 3 个月之前，黄体素都像是一位尽职尽责的"保安队长"，时刻保护着胚胎，让它有一个良好的发育和成长环境。

不过，这位"保安队长"的"工作"年限可有长有短，这主要取决于子宫内膜上是否有受精卵着床。如果"卵子姑娘"没有遇到合适的"精子先生"，就无法形成受精卵，这时黄体就只有 12~14 天的寿命。超过这个时间，它就会开始慢慢萎缩，逐渐被结缔组织结疤所代谢；如果"卵子姑娘"找到了"如意郎君"并迅速结合在一起，开始孕育新的生命，那么，这位"保安队长"也会"干劲十足"，一直持续工作到胎宝宝满 3 个月后，才开始慢慢地萎缩。"体力不支"的它只好将工作交由胎盘接管。虽然说这位默默无闻的"保安队长"没能坚持到宝宝的降生，但总算不辱"使命"，为宝宝的健康成长奉献出了自己全部的"心血"。

所以，你看，孕激素这位"保安队长"虽然有些不起眼，但它在怀孕过程中所扮演的角色还是很重要的。

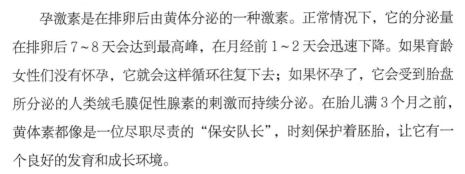 黄体功能不足易引发习惯性流产

我每次坐诊，几乎都能碰上一两个黄体功能不全的患者。黄体功能不

全的话，一个最大的后果就是习惯性流产。说实话，每次面对这样的患者，我的心情都很沉重。她们一次次痛失孩子的经历让我感同身受。我知道，只言片语的安慰并不能帮助她们脱离痛苦的"深渊"，作为一名医生，我只能尽我所能来帮助她们找到一再流产的原因。

　　我记得有一个患者怀了三次都没怀成功，每次总是中途就自然流掉了。第一次怀了40天就流了，第二次怀了35天也流掉了。第三次，她吸取前两次的教训，在发现怀孕后，每天去医院打1000单位绒促性素，打了17针后因担心药物会对孩子产生副作用，就自行停止了用药，结果在孕70天左右发现胎儿已经停止发育，无奈只好做了人流手术。接连三次的流产经历让这位患者备受打击，好长一段时间都走不出流产的阴影。后来，她经朋友的介绍，来到了我的诊室。

　　我给她做了一个全面检查，发现她身体其他方面没什么问题，就是黄体功能不足。黄体功能不足的话，发生习惯性流产的可能性非常大。因为当黄体功能不足时，卵巢就没法分泌定量的雌激素和孕激素。而这些激素水平都比较低的情况下，受精卵将很难在子宫内膜上着床。这就像是一株根基不稳的小树苗一样，只要来一阵风，它就会被连根拔起。同样，如果受精卵找不到扎根的"沃土"，自然就无法生长、发育了。这就是为什么这位患者会频繁地出现"早期流产"的原因了。

　　考虑到这位患者的具体情况，我给她开了一些周期性补充黄体酮的口服药，并嘱咐她按时吃，并告诉她如果经过药物调理后怀上了，需要注意的一些保胎细节以及生活中的注意事项。结果，6个月后，她打来电话兴奋地告诉我她终于怀上了，现在怀孕3个多月了！说心里话，每次听到这样的喜讯，我都会感觉特别欣慰，觉得很有成就感。

　　我给大家举这个例子就是为了告诉大家：黄体功能不足的患者经过得当的治疗是完全有可能怀孕的，所以不要灰心，积极配合医生治疗，这样才能为自己争取更大的希望。

　　那么黄体功能不足该怎么治疗呢？目前临床上最常用的方法有两种。第一种是用黄体酮补充孕激素的办法，第二种是促排卵治疗。具体采取哪种办法，需要多大的剂量，用药多长时间，这个要视患者的具体情况而定。

　　经常会有患者问我："柳大夫，长期服用这些补充黄体酮的药物会不会对胎儿产生影响？"相信这个问题也是很多读者朋友都想知道的，在这里我再说明一下。天然黄体酮呢，是我们临床上经常会用到的保胎药物，对胎儿是不会产生什么副作用的，大家可以放心用药。

基础体温可以检测黄体功能

　　前面我们讲过，通过基础体温可以确定自己的排卵日。其实，我们的黄体功能怎么样，同样只要测量一下自己的基础体温，"谜底"即可揭晓。

　　很简单，从排卵期体温下降后，也就是刚好排卵的那天之后的第 1~3 天体温开始上升算起，到下次月经来潮的前一天之前为止，这段时间就是黄体期。正常情况下，育龄期女性的黄体期天数为 12~14 天，如果黄体期不足 10~12 天则表示你的黄体功能不足。除了按天数计算，黄体功能是否良好，还有一些判断依据，那就是黄体期体温的变化情况。如果在排卵日后，体温虽然有所上升，但上升的幅度不足 0.3℃或体温上升比较缓慢，体温下降较早或者整个黄体期体温波动较大等，这都表明你的黄体功能不太好。

在临床上，还有一种检测黄体功能的办法，就是在月经来潮的 12 小时内取子宫内膜进行检查，如果检查结果发现内分泌不良，也可以作为诊断时的参考依据。通常医生在诊断时，还会详细询问患者的一些其他情况。比如说，月经周期是多少天，分泌物是否正常等。如果月经周期少于21 天，或者月经前点滴出血，这就说明你可能存在黄体功能不足的问题。

上面我说的这些检测黄体功能的方法和依据，大多都是自己可以操作或者稍加留意就能观察出来的。所以，着急怀孕的朋友在准备怀孕前，最好先检查一下自己的黄体功能是否良好。如果存在问题，要尽早去医院治疗，等黄体功能恢复良好了再准备怀孕也不迟。

叶酸和维生素 E，
备孕的两个宝

有两样东西是备孕期的夫妻不可缺少的，那就是叶酸和维生素 E。叶酸有助于预防胎儿神经管缺陷，同时防止孕妇因贫血而引发宝宝发育畸形，降低宝宝早产和流产的概率；而维生素 E 则有助于增强生育能力，有助于大家尽快怀上孕。可以说，这两样宝贝就像是保护伞一样，能够保护腹中的胎儿，让它们能稳定、健康地发育和成长。所以，即便大家感觉自己身体相当不错，如果计划怀孕了，还是应该早早地服用叶酸和维生素 E 补充剂。

叶酸——有效预防神经管缺陷

在工作之余，我经常会在网上浏览一些医学论坛上的帖子。有一次，我点开孕妇专区，发现孕妈妈们正围绕着一个"孕妇为何要补充叶酸"的帖子展开激烈的讨论。有的网友说："我听人说，要在怀孕之前三个月就要开始补充叶酸。那么，这个叶酸有什么作用呢？"有的则说："我是在毫无准备的情况下怀孕了，这样岂不是错过了补充叶酸的最佳时机，会不会对宝宝有影响？"

看来，很多朋友对这个叶酸并不十分了解，许多人只是在医生的嘱咐下服用。不过，由于他们对叶酸的作用没有一个清楚的认识，所以经常是想起来就吃，想不起来也没太当回事。实际上，这对宝宝的成长是十分不利的。

在回答孕妇为什么一定要服用叶酸这个问题之前，我们先来了解一下什么是叶酸。叶酸其实是 B 族维生素的一种，最早是从菠菜叶子中提取出来的，所以叫"叶酸"。它的主要功能，就是制造红细胞和白细胞，以增强人的免疫能力，所以叶酸也被人们称为"造血维生素"。

很多患者都会感到疑惑："我怀孕前气血很足，怎么怀孕后会贫血呢？"这是因为在怀孕之前，我们身体内铁的含量基本能维持在平衡状态；而怀孕后，一个人的血要分成两个人用，而且随着胎儿的不断发育以及孕妈妈生理的变化，所需要的铁含量会大大增加，最多时可达到正常人的 4 倍。这样的话，即便是以前不贫血的女性也极有可能会出现贫血的症状，而怀孕之前本来就有些贫血的女性朋友，贫血的症状就会进一步加重。所以，为了预防孕妇贫血影响宝宝的生长和发育，就需要及时补充叶酸。

对胎宝宝来讲，在整个孕期，叶酸都是他们最需要的物质之一。比如说孕早期，孕早期是胚胎发育的多事之秋，是最危险的时刻。这个阶段胚胎细胞生长、分裂十分旺盛，是胎儿器官系统分化，胎盘形成的关键时期。如果这个时候孕妈妈体内缺乏叶酸，那么胎宝宝出现畸形、神经管发育缺陷的可能性会增大，发生无脑儿、脊柱裂的概率也会大大提高。

即使到了孕中期、孕晚期，孕妈妈们也不能放松对叶酸的补充。因为这个时段，胎宝宝和孕妈妈对叶酸的需求量都很大。如果叶酸不足，孕妈妈容易出现巨幼红细胞性贫血、胎盘早剥以及妊娠高血压综合征等病症；而胎儿得不到充足的营养补充，也容易出现发育迟缓、早产和出生体重低等情况。这样的胎儿即使能够顺利出生，那么他们以后的生长发育和智力发育情况也会令人担忧。

所以，你看，及时补充叶酸对孕妈妈和胎宝宝来讲，是多么的重要啊！如果大家准备要孩子了，最好在备孕前的三个月就开始服用叶酸。如果已经怀上了，而之前没有服用叶酸的朋友也不要懊恼，从现在起坚持服用也不算太晚。

维生素 E——"抗不孕维生素"

说起维生素 E，大家首先想到的就是它有美容养颜、延缓衰老的作用。但它跟怀孕有什么关系呢？很多人都不明白，所以经常会这样问我："柳大夫，怀孕前期要吃叶酸，这个大家都知道，可为什么要吃维生素 E 呢？"

简单地说，叶酸的作用主要是为了防止胎儿神经管缺陷、孕妈妈贫血，降低胎宝宝发生畸形的概率，而维生素 E 的主要作用则是提高生育能力，改善卵巢功能，预防流产，因此它有"抗不孕维生素"之称。

维生素 E 与妊娠关系非常紧密。在临床上，我常将它作为治疗不孕和先兆性流产的辅助药物。我也常会建议准备怀孕的女性注意补充维生素 E，以此来提高她们怀孕的概率。对我们女性来讲，维生素 E 能够起到增强卵巢的功能、使卵泡增加、黄体细胞增大，以及增强孕硐的作用。对孕宝宝来讲，足够的维生素 E 有助于促进胎盘和胎儿发育，可以预防早产及流产。

说到这里，有的患者可能又会问了："那怀孕后，服用的维生素 E 是不是越多越好呢？"当然不是！任何药物，特别是治疗不孕不育的药物，都不能多吃，否则不仅身体吃不消，反而会起反作用。这一点，大家千万要注意了，不能因为着急怀孕而擅自增加服用的剂量。一般维生素 E 胶囊的用量为每次 100 毫克（胶囊为一粒），每天 1~2 次。如果维生素 E 服用过量，不仅容易引起胃肠功能紊乱，出现恶心、胀气、腹泻等症状，而且还影响身体对维生素 A 和维生素 K 的吸收，时间长了容易出现疲乏、头痛、头晕、肌肉张力下降、荨麻疹等一系列症状。

一般来讲，不是超剂量、长时间地服用维生素 E 是不会对人体和宝宝产生什么副作用的。如果你把握不好服用的量或者实在担心它对宝宝不好，那么通过食补的办法也是可以的。很多食物都富含维生素 E，比如说动物的肝脏、菠菜、芦笋、玉米、食用油、山楂、杨梅、葵花子、花生，以及其他坚果等，平时多吃一些这些食物对孕妈妈和宝宝都是很有好处的。

● 叶酸和维生素 E 能一起吃吗

一位患者跟我聊天时，这样对我说："柳大夫，我前年有过一次自然流产，所以这次怀孕我很小心。前两天我去医院做检查，医生说我的身体没什么问题，就给我开了斯利安叶酸片和维生素 E 胶囊。我不知道这两种药能不能一起吃。还有，像我这样有过自然流产的，现在怀孕应该注意点什么啊？"

我说："这两种都是我们临床上常用的药物，可以一起服用。只要不过量服用，对宝宝是不会产生副作用的，所以不要太担心了。你现在要做的就是多注意休息，营养均衡，不要乱动，并保持心情愉快，千万不能胡思乱想，否则容易因过度紧张而影响宝宝健康。如果发现身体不舒服或者宝宝有什么异常，一定要及早就医，并听从医生的嘱咐，该服药服药，该休息休息。"

在这里，我再重申一下，不管大家是准备怀孕也好，还是已经怀孕了，都要注意及时补充叶酸，最好是在准备怀孕前三个月就开始补充。这是为人父母的职责体现，一定要重视起来。千万不要因为自己一时的疏忽而让孩子还没出世，就早早夭折或者带着缺陷来到这个世间。那样的话，不仅是孩子的不幸，也是你的不幸！

排卵药
到底要不要吃？

一个新生命的诞生源于精子和卵子的结合，如果卵巢排不出卵子，怀孕也就无从谈起。那么卵巢排不出卵子该怎么办呢？很多患者可能会说："可以吃排卵药啊！"的确，这个方法确实能起到一定的效果，但也不是每个不孕的患者都适合，而且如果吃不好，还容易产生副作用。

促排卵药是如何工作的

一天早上，我正准备去上班，在楼道里遇到邻居刘阿姨。刘阿姨一把拉住我，说："柳大夫，我听人家说，吃促排卵药生双胞胎的概率比较大。我儿子和儿媳妇最近正准备怀孕。我想着先问问你，这种药能不能吃，怎么吃效果好？"我说："阿姨，这促排卵药可不能乱吃！你儿媳妇排卵正常吗？如果正常最好不要吃。吃不对或者吃多了，不但生不了双胞胎，反而会出现其他不良影响呢！如果您儿媳妇的情况确实需要吃排卵药，让她先来找我，我先给她瞧瞧！"

排卵药为什么不能乱吃呢？我们先来了解一下促排卵药的工作原理。在我们女性的卵巢中分布着多个卵泡，但每个月经周期中，只能有一个卵泡生长直至成熟，这就是我们常说的优势卵泡。其他的卵泡由于受到抑制因子的抑制，会停止生长，慢慢退化成闭锁卵泡。与此同时，成熟的优势卵泡迅速长大，然后慢慢移到卵巢表面，准备排卵。这个成熟的卵子排出卵巢后，会进入输卵管，等待与精子结合。而促排卵药就是促使卵泡发育，在某次月经周期中，可能产生多个优势卵泡。

正常情况下，卵泡生长时会分泌雌激素，当分泌的雌激素达到一定的程度时，人的下丘脑就会接收到这一"信号"，并产生一系列的反应抑制卵泡继续发育。而服用促排卵药后，促排卵药的有效成分"抢先"占据本该由雌激素占据的下后脑雌激素受体，从而让下丘脑误以为雌激素不够，于是开始"敦促"卵巢启动促卵泡成熟机制，使多个卵泡在短时间内都长成了优势卵泡。于是，卵巢在同一时间内就会排出多个卵子。这些卵子进入输卵管后，与精子相遇，精子便有了更多的选择。

根据我的经验来看，促排卵药确实可以提高生双胞胎的概率，但是风险也很大。不光对孕妇的身体会产生不好的副作用，而且控制不好容易生出多胞胎。所以，在此提醒各位，不要抱着想生双胞胎的想法盲目地吃促排卵药，如果排卵正常，还是自然受孕的好，这样对宝宝也好！

🔴 只要排卵正常就不用吃药

有一位来自农村的小姑娘给我印象很深，她年纪不大，来找我看病的时候刚 24 岁，皮肤因为长年在地里劳作而变得黝黑，她整个人看起来更加憔悴，完全不像是 20 来岁的人。记得那天我刚上班，她是第一个病人。她默默坐在我面前，第一句话就说："大夫，我听人说吃促排卵药可以怀上孕，你给我开点促排卵药吧！"

我每天接触的不孕患者很多，对于她们的处境和想法也是十分地了解和同情。但是作为一名医生，必须坚守自己的职业操守。于是，我说："姑娘，你求子心切，这我理解。但我是医生，给你吃什么药也要看你的检查结果。"

听我这么多，她从随身的袋子里拿出一大叠在其他医院做的检查报告。我一张张仔细地看着，发现她的卵巢功能没有问题，就是有比较严重的盆腔炎。我看她最近一次检查是在三个月前，而且也不太确定她是否存在其他方面的问题，于是我又给她做了 B 超和激素水平测定，看看她的生殖器官有无病变，身体内分泌是否正常。结果证实，她除了患有盆腔炎外，还存在子宫内膜过薄的问题。

于是，我告诉她："姑娘，你的卵巢和内分泌功能都是正常的，不用吃促排卵药。你的当务之急，就是先把子宫养好，把你的盆腔炎治好。我先给你开些药，你回家先吃着，注意好好休息、补充营养！"

很多人都以为怀不上一定是卵巢出了问题，只要吃一些促排卵药就能解决问题。其实，卵巢排不出卵只是个症状，可以由很多原因引起。在临床上有很多因素可导致卵巢排不出卵。比如说，卵巢早衰、卵巢的器质性损害、垂体功能障碍等，还有一些内分泌方面的异常，比如说甲状腺、肾上腺皮质功能失调以及一些全身性疾病，如重度营养不良，这些因素都有可能导致卵巢排不出卵。所以，不是所有的不孕患者都能吃促排卵药，要对症下药才行。

而且，虽然促排卵药对治疗部分不孕症患者确实有些效果，但它也会对我们女性的身体产生一些副作用，所以绝对不能滥用，更不能在没有经过医生许可的情况下擅自服用促排卵的药物。如果服用的量没掌握好，卵巢会在药物的作用下不断排卵，这样容易造成月经紊乱，影响卵巢功能，而且对怀孕也可能产生不好的影响。

所以，我们一般不会轻易给病人服用促排卵药，除非是已经检查确诊是排卵原因导致的不孕后才会考虑让患者服用。像排卵正常，能够自然怀孕的患者，我建议不要吃排卵药，从其他方面改善自己才是正解。

及时监测
孕激素水平

孕激素，光从字面上就能看出，它一定与怀孕有着莫大的关联。事实上的确如此。在我接诊的所有病患中，因为孕激素水平过低而导致无法怀孕的非常多。我在查看患者的检查报告时，也会特别留意孕激素这一项，透过它可以了解患者的卵巢功能。

🔴 孕激素过低，怀孕就困难

孕激素也叫孕酮、黄体酮，是由卵巢分泌的一种具有生物活性的助孕激素。在正常情况下，女性朋友们在排卵前，每天产生 2～3 毫克的孕激素，这些孕激素主要来自肾上腺；在排卵后，孕激素的产生量会迅速增加到原来的 10 倍，也就是每天 20～30 毫克，其中大部分由卵巢的黄体分泌。

大家别看它少，最多也不过二三十毫克，可它在女性整个怀孕的过程中充当的角色可是相当重要的。大家还记得吗？前面讲排卵期检测方法

时，曾提到过女性在排卵时，体温会稍有所下降，而排卵后，体温会升高0.3～0.5℃。这是为什么呢？其实就是孕激素通过刺激人体的中枢神经系统而使体温上升造成的。这种基础体温的变化，常被当作检查是否排卵的重要指标。

那么，除了有帮助人们确定有无排卵的作用，孕激素还会对怀孕产生什么样的影响呢？影响主要有三个。

一是在月经周期后期，也就是排卵期过后，孕激素能够促进子宫黏膜内腺体生长，使子宫充血，内膜增厚，为受精卵的到来提前做好准备。这时的孕激素就像一位称职的"管家"一样，将"家里"里里外外粉刷一遍，床上还铺上了厚厚的褥子，以便主人回来后，可以舒舒服服地睡上一觉。

二是在与雌激素的共同作用下，促进母体乳房的充分发育，以便宝宝生下来后，有充足的母乳可以喝。也就是说这位"管家"还得操心着主人的吃喝，为了不让主人渴着、饿着，提前给他打通了奶源。

三是使宫颈口闭合，黏液减少、变稠，使精子进不来。这个也很好理解，就是孕激素这位"管家"担心主人休息不好，所以将门关严了，拒绝一切访客擅自闯入。

怎么样，这位"管家"十分地尽职尽责吧？不过，这都要建立在他"身强力壮"的情况下，如果这位管家"身体"很弱，那又是另一回事了。它的主人会因为得不到妥当、周到的"照顾"而吃不饱，也睡不好，自然打不起精神管生育的事了。所以，如果孕激素水平过低，要想成功怀孕将会是一件特别难的事。

如何监测孕激素水平?

孕激素水平是否正常关系着怀孕成功与否，同时也是支持胎儿早期生长发育必不可少的重要激素。所以备孕妈妈一定要重视孕酮的监测和检查。那么孕期孕酮怎么监测呢? 有没有自己就可以操作的办法?

检查孕激素的方式有很多种，最常用的有两种：基础体温检测法、抽血化验法。具体采取哪种视个人的情况而定。

基础体温检测法前面提到过好几次了，大家应该很熟悉了。之前我们讲过如何通过它来检测黄体功能。实际上，我们这里所说的孕激素也就是黄体酮，正是由卵巢黄体分泌的一种天然孕激素。也就是说，通过监测黄体功能就可以间接了解到体内的孕激素水平是否正常。所以，监测孕激素水平也可以采取基础体温检测法。

正常情况下，在月经的前半期，也就是卵泡期，体温多数会在 36.5℃以下波动；排卵后进入黄体期时，体温在孕激素的作用下，略有上升，一般会在 36.6~37℃波动；在下次月经来临前的一两天，体温又会下降到卵泡期的温度。医学上，将这种随着月经周期变化而体温呈上下波动的现象称之为双相体温，也叫有排卵体温；如果整个月经周期，体温无太大变化，则称之为单相体温，也称为无排卵体温，提示整个月经周期没有排卵。

如果排卵后体温上升天数保持在 10~12 天以下，且体温上升幅度较小，小于 0.3℃或者黄体期体温波动较大，这就说明人的黄体功能不足，这种情况下通常也表示你的孕激素水平较低，应及早去医院治疗。

　　如果大家觉得这个办法比较麻烦，自己又怕把握不准，那么还有一种办法比较省心，但是得花些钱，那就是在排卵后去医院抽血化验，以确定孕激素是否正常。如果大家觉得自己可以监测，那么可以在家里每天早上起床前，口含体温计 5 分钟，然后记录下自己的体温变化，一般坚持两三个月，基本上就能了解自己的孕激素水平了。

胎究竟
应不应该保

　　我敢打赌，当你第一次怀孕成功时，你的心情一定是无比兴奋，但也是极为紧张的。在妇产医院，看过无数对夫妻要孩子的痛苦经历之后，我深知现代人想要顺利怀孕、顺利生下健康的宝宝，其实也不是件容易的事。以至于，很多准妈妈还没兴奋两天，就开始各种担心了。这不，一大波还没怎样就要保胎的孕妇又走进诊室了。

 不是每个孕妇都需要保胎

　　门诊的时候常有女性患者心急火燎地找到我说："柳大夫，我月经延期了，我自己用早早孕试纸测了一下，是怀孕了，你给我开一点儿保胎药吧！我需要保胎！"

　　刚开始遇到这类患者时，我总是很疑惑，保胎不应该是医生给出的建议吗？怎么现在患者自己就做诊断了呢？我照例先问患者病史、症状，病人却有点儿不耐烦了："开个保胎药用得着这么麻烦吗？需要问这么多吗？就给我开那个什么天然孕酮就行，我同事就吃的那个，效果很好。"

我说："这位患者，动不动就吃保胎药那是古装戏，我们现代社会的医生没有那么随便。等我了解了你的基本情况，如果真的需要保胎，你不想吃药我也会开给你。但如果胎儿健健康康的，我是不会开药的，你以为保胎药是保健品啊，饿了就吃两颗垫垫肚子？"大部分患者会被我的回答噎着，然后老老实实地配合我问诊，但也有小部分患者不吃我这套，骂骂咧咧拂袖而去，甚至投诉我，说这医生态度太差，破坏了她们喜获新生命的好心情。有了几次教训之后，我也慢慢收起自己的锋芒，不再逞口舌之快，不管患者是心急如焚，还是忐忑不安，我都淡定地做好本职工作，一项不落地问诊："姓名，年龄，婚否，胎次，末次月经时间，症状……"

一般来问诊保胎的患者，问诊理由无非是有过自然流产史、早孕期有不规则阴道出血、家族中有女性亲属有反复流产史等，这类患者提早考虑保胎的事，还是很有必要的。这几年，问诊保胎的患者越来越多，问诊的理由可谓五花八门，令人眼花缭乱。

其中有随着医学知识丰富来问诊的合理理由，比如做了子宫肌瘤手术不到半年意外怀孕了，有比较严重的子宫腺肌症，检查发现子宫环境可能不利于受精卵着床，有比较严重的排卵期出血症状，阴道炎没有彻底治愈，等等。还有一些理由是让我这个专业医生都要感叹自己孤陋寡闻的匪夷所思的理由，比如"我妈 20 岁就生了我，但我现在 30 岁才怀孕，我是高龄产妇，需要保胎""我们公司好几个女同事，头三个月都是请假在家休息的，说是孕酮太低，还要打针。我们这个工作太辛苦了，保险起见，我也得保胎""环境污染太严重了，水也污染，空气也污染，最近都是霾，我感觉我的体质太差了，需要保胎"，等等。

这都是些什么乱七八糟的理由啊！我必须非常严肃地告诉女性朋友们，保胎不是众志成城、人定胜天的事，有些胎不努力保也能保住，有些胎保不住也不见得是坏事。保胎还是不保胎，一定要和医生进行充分的交流，具体问题具体分析，"对胎下药"才是恰当的选择。

● 早孕期流产未必是坏事

妊娠分娩是一件水到渠成的事情，我们的祖先就是这样一代一代繁衍生息的。但现代社会不孕症发病率越来越高，怀孕难，好不容易怀孕了，胚胎停育、先兆流产现象又如噩梦般降临到早孕妈妈身上，使尚未成型的胎儿过早夭折。近五六年，这一现象确实有逐渐增多的趋势，越来越多的女性希望在早孕期就进行人工干预，以便生出健康的宝宝，这样的心情和考虑医生完全能够理解。

一次胚胎停止发育或流产多为偶然因素，而且就目前医学发展来看，约有一半的胚胎停止发育或流产是无法通过目前的检查手段找出病因的。一般建议，一次流产不必进行相关检查，需符合反复流产定义者（自然流产连续三次或三次以上者）才可进行相应检查和干预治疗。但是由于目前普遍存在的婚育年龄逐渐增大的状况，观察三次妊娠均流产后才进行检查和干预治疗势必导致患者年龄偏大。因此，如果患者要求，在知情同意的前提下，未生育过正常孩子的患者，两次自发性流产，特别是早期自发性流产，可以进行相关检查和干预治疗。

事实上，早孕期流产并不罕见，占自然流产的 80% 以上。国内外的医学专家进行了大量研究，希望能找到早期流产的原因。至今，尽管还不能说已完全了解清楚发生机制，但"早孕流产是自然淘汰过程"这一观点已被普遍接受。通常流产发生的时间越早，越可能是染色体异常所致。在早孕期流产者中，50% 以上的原因是胚胎存在染色体异常，中孕期流产约 35% 存在染色体异常。

出现先兆流产的迹象后，医生通常会询问病史，比如有没有糖尿病、甲状腺疾病、免疫性疾病、子宫畸形等，以及以前有没有过自然流产的历史，孕期有没有接触过有害的物质或环境等，这些都可以帮助医生寻找诱发流产的可能线索，可惜在多数时候并不能找到流产的明确原因。医生还会建议孕妇检查孕酮的水平，如果检查结果未发现黄体功能不足，那几乎可以判定为染色体异常导致的流产。

这类流产，是由于精子和卵母细胞本身的异常，或在胚胎发育卵裂期发生染色体错配造成的。这些异常的发生为偶然因素，与夫妇双方的情况没有直接关系。毋庸置疑，这类染色体异常导致的流产没有任何保胎的价值，而且能够成功保胎的概率也很小。这个时候，准爸爸准妈妈们要用正确的态度对待流产，能保住胎儿固然是好，但保不住也不要互相埋怨或自责，要相信多数人最终都能得到一个健康的宝宝。

什么样的孕妇才需要补充黄体酮

排除染色体异常和母体身体因素之外，还有一种导致早孕期流产的原因——黄体功能不足。目前能明确采取保胎措施的，也正是针对黄体功能不足导致的先兆流产现象。

出现先兆流产现象之后，医生会建议孕妇检查孕酮的水平，这是因为孕酮的水平和胚胎的好坏有关。孕酮，也称为黄体酮，它在调节月经周期、胚胎植入和维持妊娠方面起着非常关键的作用。妊娠早期的孕酮主要由卵巢黄体分泌，它可以降低平滑肌的兴奋性、抑制子宫收缩、减小子宫收缩导致流产的发生率。此外，孕酮还可调节免疫反应，抑制母体对胚胎这一外来物的免疫排斥反应，让母体能尽快接纳胚胎，有利于胚胎在宫内生长发育。由此可见，孕酮在怀孕早期对维持妊娠的关键作用。如果孕妇黄体功能不足，便不能分泌足够的孕激素，便没有足够的孕酮来保持胚胎的正常孕育。

孕激素属于内分泌系统激素，大多数的人认为内分泌受整体环境影响大，目前环境污染厉害，身边还有很多隐性的污染，自己肯定也存在内分泌紊乱问题，而且周围由于孕酮低而出现先兆流产的人越来越多，自己肯定也存在这方面的原因。近几年，由于孕酮低需要保胎的患者确实越来越多，但总体上这类患者仍是少数。黄体功能不足导致的流产所占比例并不高，以至于产科最权威的《Williams产科学》都未将其列在早孕期流产常见原因之列，但这并不意味着所有孕妇都不存在黄体功能不足和孕激素水平低的问题。

孕酮水平低下和胚胎发育不良这两个因素，到底是孕酮缺乏造成胚胎发育不良，还是胚胎发育不良影响了孕酮水平，目前是没有明确答案的。所以，不分青红皂白就使用孕酮保胎，不一定能达到预期的效果。

经检查确认为黄体功能不足导致的早孕期先兆流产，可给予天然的孕激素，通过补充孕激素的方式进行保胎。经检查发现并没有黄体功能不足存在的孕妇，不建议使用孕酮保胎。

老话怎么说来着，强扭的瓜不甜，是你的终究是你的。如果胚胎健康，不采取保护措施，这个孩子也能平安来到你身边。如果胚胎本身有问题，强行挽留说不定还可能造成不好的后果。怀孕这件事还是顺其自然的好，该保的时候想办法保一保，实在保不了就放手让它走，下一胎我们可以从头来过，最终肯定能有健康可爱的宝宝的。

女人面色润、妇科好、精神足，
养好内分泌是关键

第五章

— 女人要保养 —
会爱自己的女人才最美

　　我们的肌肤和体形天生存在着一种性质，而这种性质来自于我们身体的内部，民间有种说法叫"体质决定肤质"，其实这里所说的"体质"就是内分泌。

　　前面我们讲过，由于内分泌的影响，女人从 25 岁就开始逐渐衰老，你的皮肤远没有十八九岁时那样紧实和富有光泽，同样，如果你内分泌出现混乱，脸上就会长出乱七八糟的东西，肤色也变得糟糕。随着年龄的增长，你会发现一个真实的现象，年轻时想瘦就瘦的情况很难再出现了，身材好像逐渐失控了……

逃离"黄脸婆"的厄运

其实很多女人有了家庭有了孩子之后，往往从意识上就彻底忽视了自己、放弃了自己。要知道，这样做并不是明智的，当你逐渐失去外在的美丽时，你的自信心也会降低，你的情绪会变得消极和焦虑，并且会影响到夫妻间的感情，最重要的是，你踏上了一条不健康的道路。

不要因为生活而放弃自己

现在有个热门的词叫"白富美"，这是多少女人追求的目标啊。先不说"富"了，大多数女人连"白"和"美"都做不到，要知道中国有句古话，叫"一白遮三丑"，女人只要皮肤白就可以说离美更近一步了。所以，大多数的女人首先要做到"白"。至于你能美到多少，就要看你生下来时的五官了，当然你也可以去做整形，但我不提倡在脸上开刀的事儿。

来我这里看病的患者，十个女人，毫不夸张地讲有七八个皮肤都发暗黄，像是蒙着一层不干净的黄气，不得不让人联想到"黄脸婆"这个词，显然她们离"白"越来越远。虽然这三个字叫到哪个女人的头上都有点晴天霹雳的感觉。但是一个女人如果皮肤暗沉萎黄，再加上神色不爽，也不注重衣着和打扮，称呼其为"黄脸婆"也就不足为奇了。

到底什么原因让一个曾经青春靓丽的女孩子慢慢变成黄脸婆的呢？是因为"婚姻是青春的坟墓"吗？那为何有些女人可以把婚后的生活过得更加有滋有味，让自己看起来永远像恋爱中那么幸福甜美？是工作的压力太大让我们喘不过气来，或者索性你就是一个毫不在意自己的"狠心"女人呢？

说到这里，我想起了我的老同学麦子。她是我在老家高中时期非常要好的同学，大学毕业后也来到了北京。她上学的时候个子高挑，面容清秀，皮肤白里透红，性格开朗活泼，可以说是大家眼里的万人迷。我们刚到北京的时候总是定期聚会，后来我开玩笑说，希望咱们一辈子的见面都不要出现在我的诊室里边。从我们各自有了孩子之后，见面的机会骤然减少了，各自忙着工作和家庭。

有一次聚会得知麦子已经离职，在家专心带孩子。虽然见面的时候她精心地化了淡妆，但还是能感觉出来，怎么也无法遮掩她暗淡的肤色和憔悴的眼神。

跟麦子深聊之后发现她现在的心态变得非常消极，跟我抱怨道："我怎么就变成现在这个样子了呢？像老妈子一样每天就是买菜做饭带孩子。今天早晨一照镜子，发现眼睛浮肿，眼神无光，眼角都是细纹，要不是见你们这些老同学，我都想推了这个约会了。"说完一股悲伤之情涌竟然掉起了眼泪。那一年我们才30岁出头，确实，麦子的整个变化和落差让我也感到很意外。

其实很多女人和麦子一样，当她有了家庭有了孩子之后，往往从意识上就彻底忽视了自己、放弃了自己。要知道，这样做并不是明智的，当你逐渐失去外在的美丽时，你的自信心也会降低，你的情绪会变得消极和焦虑，并且会影响到夫妻间的感情，最重要的是，你踏上了一条不健康的道路。

要知道，生理的变化、生活的压力和坏情绪的共同作用，会让你的内分泌失调。前面讲过，内分泌失调的隐患就是各种妇科疾病，所以不光为了美我们要注意调整自己，更重要的也是为了健康。

除了尽可能地做到充分休息，我向你推荐三款美容"小饮料"，这些方法对改善你的皮肤有好的帮助作用，或许能帮你逃离"黄脸婆"的厄运呢。

1. 木瓜红枣莲子羹

将银耳用温水泡发后去根，撕成小片，莲子去心、木瓜切块；将银耳放入锅中煮沸后改文火，30分钟后加入木瓜、莲子、大枣和枸杞子，再继续熬制40分钟，最后加入冰糖再熬制10分钟即可。冰箱冷藏后可以按耳中的胶质成分就完全溶解出来了，这样食用美容效果

200克，葡萄200克，蜂蜜100克。制作方法：
觉汁去渣，与蜂蜜混合装瓶备用。早晚各取1～2

汤勺，用温开水冲服。这个饮料特别适用于面部暗黄、色斑、雀斑等。

3. 柠檬水

一杯水放 1~2 片柠檬，泡上 5 分钟就可以喝了！每天一杯柠檬水，能让肌肤也变得不易出油，并延缓皮肤衰老。柠檬中所含的丰富水溶性维生素 C 还能帮助改善皮肤因出油氧化而出现的暗沉问题。

用天然护肤方法替代化妆品

女人想要美白，但把希望寄托在美白产品上是不明智的，一方面美白的化妆品不一定就能见效，另一方面，见效的美白产品会含有激素、重金属等，不利于身体健康。

我曾经接诊过一位 32 岁的患者，她的病症是闭经。你会问，30 岁出头就闭经啊。没错，她是一家外企的销售代表，除了工作压力比较大以外，她的生活和作息还算比较规律，也不贪凉不吃辣，问题出在了什么地方呢？

经过检查、充分沟通后，我认为罪魁祸首是她使用的化妆品上。因为工作的需要，她说她使用了一年多迅速美白类的化妆品，要知道，能让一个人皮肤迅速美白的产品，激素和汞含量都是严重超标的。而且最致命的是，她说自己一停用，皮肤就恢复成原来的样子，甚至变得更差。

女性长期使用激素超标的化妆品会使内分泌紊乱，卵泡不能正常发育、成熟，因而造成月经不调或月经不来。更为可怕的是，对未婚女性来讲，会导致闭经、不排卵而引起不孕症。

我问她，你还想要孩子吗？她说她想要啊，所以赶紧来查妇科和内分泌了。那我就告诉她，想要孩子就赶紧停用这些化妆品，身体恢复正常了，也不要使用它们。她点了点头，一脸无奈。

当然，后来经过一段时间的治疗和调整，这位患者恢复了正常的月经。我想说的是，使用美白产品真的风险很大，往往是牺牲自己的健康。

爱美真是女人的天性，年轻点儿的女性追求美白，岁数大一点儿的女性努力靠化妆品延缓衰老，其实一样是存在危害健康风险的。

刘姐是老公的同事，比我大几岁，家境不错，为了延缓衰老用了各种各样的化妆品。印象中刘姐工作很轻松，也没什么压力，老公事业稳定，孩子也上中学了不用操心。所以刘姐最担心的就是自己的容貌，每次见面她都要跟我大谈特谈化妆品的效果比较，有什么新款上市也赶紧买来试用，还常常变换最新潮的发型。

我很想告诉她，化妆品是有一定的副作用的，总是这么使用皮肤难保不会有问题，但是看她皮肤还保养得不错，我也就忍住了。直到有一次，隔了挺长时间老公单位聚餐我再见她，发现她的皮肤变得很差，已经涂了厚厚的粉底还是遮盖不住。她拉着我的手，一副天塌了的样子，说现在用化妆品脸总是过敏，还开始长痘痘了，以前皮肤可没这么差。

化妆品虽然会让脸看上去年轻一些，但是卸妆后的皮肤只有自己知道是什么样子。生活中常见的化妆品多由各种色素、香料，以及防腐剂加工而成，有些特殊用途的化妆品中还要加入除臭、祛斑和防晒的成分。有的人使用后，往往会出现面颊红肿、流水、瘙痒，这就是皮肤过敏不适应，严重的还会引起其他的疾病。

我干脆跟刘姐说，与其这样当各种化妆品的小白鼠，不如采用纯天然的护肤方法，至少可以完全保证没有副作用。刘姐将信将疑，但是看自己的皮肤已经很差，不敢乱用化妆品了，就开始尝试我的方法。

这种方法对身体没有伤害，昂贵的化妆品不仅花钱而且不一定会有用，还不如我们日常的天然护肤方法，能拥有细腻肌肤。我给这套方法取了个名字，叫"自然美肤方"，具体有哪些呢?

1. 苦瓜补水祛痘抗菌

苦瓜有美白、消炎、抗菌的功效，把新鲜苦瓜放到冰箱里冷藏，取出后捣成泥，再敷在脸上15分钟，然后用清水洗干净，一星期敷3次，就可以改善痘痘肌，而且还能令肌肤变得白皙。

2. 西红柿汁美白润肤

西红柿含有大量的维生素A、维生素C，有滋润肌肤、收缩毛孔和美白的功效。取一个西红柿，捣成泥，敷在脸上，15分钟后洗干净，就会看到肌肤变得细腻光滑了。每日2～3次，每次10分钟，然后用清水洗净，涂点护肤霜，都可使皮肤白嫩，黑斑减退，对干燥型皮肤的护肤美容效果尤佳。

3. 黄瓜汁保湿补水

黄瓜含有大量维生素C，能刺激肌肤细胞的再生，舒缓干燥脱皮肌肤，而且还可给肌肤补充大量的水分，是天然的美肤佳品。把新鲜黄瓜榨成汁，再敷在脸上10分钟，能给肌肤快速补水。黄瓜汁是很棒的紧肤水，把黄瓜汁均匀涂在脸上可以收紧毛孔，15分钟后用清水洗干净。

4.丝瓜液消炎祛疮

用丝瓜液擦脸，能使肌肤变得光滑、精细。丝瓜水可以抗皱消炎，每周涂抹 3 次，能消除痤疮及黑色素暗沉，是不可多得的美容佳品，也难怪丝瓜汁有"美人水"之称。

5.芦荟汁嫩肤祛斑

用芦荟的鲜叶汁早晚涂于面部 15～20 分钟，坚持一段时间，会使面部皮肤光滑、白嫩、柔软，芦荟还有治疗蝴蝶斑、雀斑、老年斑的功效。

● 女人漂亮是靠睡出来的

记得几年前看过一篇娱乐报道，记者采访巩俐，问她每天通告这么忙，怎么让自己永葆魅力，巩俐简单地回了一句："女人漂亮是靠睡出来的。"仅仅一句话，道出了充足睡眠对于女性的重要性。没多久这句话便迅速蹿红在各个媒体和网页上，成了一句养生美容的流行语。

我想大部分女孩子都应该有过夜生活的经历，我也是从学生时代走来的。那时候宿舍的姐妹们可以一宿一宿地突击考试，也可以在周末一起看通宵……为年轻，我们有精力和体力去挥霍时间。第二天即便没有……身没有任何不适，顶多额头冒出几个痘痘，都不会太过

……后，白领一族仍然没有把睡眠当回事，每天晚上加……以放松一天，但她们并没有乖乖待在家里恢复元

气，而是约上三五知己聚会、唱歌，用一种不健康的方式去放松、发泄，久而久之恶性循环下去。

我曾经在一本英国医学杂志上看到过关于睡眠不足的实验报告，抽取连续一周平均每天睡眠四小时的人体血液，发现他们的血糖失去了平衡，胰岛素的分泌量大大降低。所以这个实验的结论是睡眠不足可能是导致罹患糖尿病的原因之一。

我们常常强调儿童在生长发育过程中一定要保证充足的睡眠，因为儿童在熟睡过程中身体会分泌生长激素，它可以促进儿童健康成长。同样对于成人，在睡眠状态下，我们的各种激素也是在有规律地发挥着各自的作用，当睡眠不足的时候，人体内分泌容易紊乱，激素分泌丧失自己的规律。

对女性朋友而言，不仅情绪会变得不安易怒，生理上也会出现各种妇科症状。缺乏睡眠会导致机体微循环受阻，新陈代谢变得缓慢，体内的黑色素就无法排出，长期在肌肤内堆积，最终引起黄褐斑和黑眼圈。当然还有一些更为严重的患者，最后甚至影响到了她们的生育能力。

熬夜也会使人体的免疫机能下降，因为人在缺觉的时候，白细胞会减少，免疫力一下降，自然对抗外界病毒细菌的侵袭的能力就会随之降低。熬夜缺觉还容易让人产生饥饿感，所以很多人熬夜过后会吃夜宵或者饱餐一顿，造成热量摄入过多，脂肪囤积，反而会出现越熬夜越肥胖的现象。

对于巩俐所言的那句"女人漂亮是靠睡出来的"，是非常有科学依据的。我们的皮肤在睡眠状态下新陈代谢是最旺盛的，当我们睡着的时候，肌肉、内脏包括血管都是放松开放的状态，血液可以更容易、更充分地到达皮肤表面，会为我们的皮肤提供营养，细胞也会进行自我修复和更新，从而也起到了美容、延缓衰老的作用。

正确的做法是，成年女性应该每天保证 7 小时的睡眠，如果赶上加班、熬夜，一定在第二天尽可能地弥补回来，让身体有一个缓冲和恢复的时间。另外睡前可以泡一个热水澡或者喝杯热牛奶，这两个方式都是对平衡女性内分泌有极大益处，同时可以提高睡眠质量的，你一定要记住。

另外，还有个提高睡眠质量的小秘诀，那就是买个舒适的床垫。床垫硬度、弹性、质量不同，你的睡眠质量会有天壤之别的。

把堆积在体内
的毒素吃出来

　　排毒是身体代谢的重要方式，在医学界，有一种公认的说法是：身体不能定时排毒，就是代谢出了问题，代谢有问题，就会导致身体毒素堆积，而毒素堆积就会引起内分泌紊乱。例如，长黄褐斑和痤疮，其实就是毒素堆积在体内的表现。所以定期给身体排毒，能够有效平衡内分泌。排毒除了多喝水以外，吃对食物是关键，并且这很容易做到。

毒素多了，皮肤就差了

　　"排出毒素，一身轻松。"相信你一定听说过这句广告词。作为都市女性，大家应该对排毒两个字毫不陌生。我们的身体是一个非常精密又复杂的生态系统，其实人体自身就是一个巨大的排毒机器，拥有一定的排毒能力。经常给身体排排毒，把内在毒素如胆固醇、脂肪、尿酸等排出去可以提高身体的免疫力，保持体内淋巴与血液的畅通，促进一些废物和毒素的排出。

排毒是身体代谢的重要方式，在医学界，有一种公认的说法是：身体不能定时排毒，就是代谢出了问题，代谢有问题，就会导致身体毒素堆积，而毒素堆积就会引起内分泌紊乱。例如，长黄褐斑，其实就是毒素堆积在体内的表现。所以定期给身体排毒，能够有效平衡内分泌。

首先我们可以根据下边几项，对号入座，看看你的身体是不是需要好好排毒了。

1. 经常出现口腔溃疡，有口臭的现象。

2. 脸部出现黄褐斑，或者有淡咖色斑片出现在脸颊两侧，呈对称状。

3. 以前每天一次大便，很规律，最近出现了便秘的情况。

4. 经常食用快餐以及人工添加剂等食物。

5. 体重失衡，容易发胖。

6. 无明火比较重，看什么都不顺眼，烦闷。

7. 失眠、多梦，出现脱发的情况。

如果出现以上任意一种情况，都预示着你的体内要进行大扫除了。不然你体内的毒素就会越积越多，到时候想通过多喝几杯水就能轻松排出体内毒素，是完全不现实的事情。

今年入夏后遇到一个患者，40岁左右，来的时候穿着很怪异，让我印象比较深刻。因为那几天是北京连续三十七八度的日子，这位病人不但穿着一件长袖外套，还戴着帽子和口罩。我还心想这又不是传染病科，为什么这身打扮。后来病人坐下，把外套、帽子、口罩脱下后，也着实吓了我一跳，满脸的暗疮印，身上也有很多深色的痘印斑点。她说她就是因为这些病症才来挂妇科内分泌的。

我本能地对她说："你这是不是疤痕体质啊，应该先去看看皮肤科吧？"这位病人无奈地说："北京各大医院的皮肤科都跑遍了，中药也没少吃。都不太见效，谁见到我都说，你身体是中了什么毒吗？我最后听一位朋友的建议，改来看妇科内分泌吧，现在皮肤这样，已经影响到我正常的生活了。"

看了一眼跟自己年龄相仿的病人，我非常同情她，她把我这里作为最后的一根稻草，希望可以还她一身美丽的"外衣"。问诊过程中，我了解到这位患者是工厂车间普通的技术工人，肠胃代谢功能也不好，并且平时的饮食习惯很差，月经量也少得出奇，刚40出头就跟要绝经的架势一样。我不免嗔怪她，月经量少就已经暗示你的体内有潜在的隐患，应该及早就医的。如果月经这块有所改善，肯定会有助于皮肤的改善。

其实想要做到基本的排毒很简单，就是多喝白水。多喝水可以加速我们身体的新陈代谢，从而达到排出体内毒素的作用。但是很多职业女性号称"忙得一天连口水都喝不上"，这话听起来真让人悲伤啊。

吃对三种水果，生津又排毒

我知道有很多女人在想尽办法排毒，例如吃药、洗肠等，受了几番罪，花了不少钱，但是效果却不好。其实很多排毒方式都缺乏科学性，多是商家的营销手段而已。其实最好的排毒方法就在你的手边，它既安全又经济，是什么呢？就是吃水果。

"每天一苹果，医生远离我，"这是我们常挂在嘴边的健康忠告。其实不只是苹果，每天吃其他任何水果都对健康大有裨益。水果含有人体三宝，也就是我们说的三"素"，即维生素、微量元素、纤维素，这些营养成分不仅对我们的健康很有好处，还能生津排毒。

水果中含有丰富的维生素 A 和维生素 C，而且水果中所含的果胶具有膳食纤维的作用，同时也是维持酸碱平衡、电解质平衡不可或缺的。每天吃适量的水果，既排毒又防癌，大多数水果具有美颜的作用，吃了还会让你的肌肤晶莹剔透。

我女儿在读小学五年级，从小我就很注意让她每天多吃一些水果，每天早饭一定有应季的蔬果，家里桌子上也常常放着洗好的应季水果，随时能吃。在我的带动下，我们全家都有吃水果的习惯。常有朋友夸我不愧是做医生的，自己和女儿的皮肤都能保养得这么好，一定是有什么秘诀。这秘诀就是多吃水果，不同种类的水果吸收进体内，生津又排毒，皮肤当然差不了。

不过话说回来，要吃对水果也是有原则的：首先要尽可能吃季节性水果，因为反季的水果往往是催熟或用保鲜剂保存的，对身体会有负面影响；其次水果不能替代正餐，但是可以在进餐前半小时吃，这样能让正餐吃得少点，起到减肥的作用。当然，早餐搭配适量水果是可以的，只要别太凉、太多就行。

那么话说回来，对咱们爱美的女人来说，吃什么水果最排毒呢？

我重点向各位推荐三种最容易买到、效果最好的水果：桃子、苹果和香蕉。

1. 桃子：养阴生津，保湿除垢

桃肉味酸甜，具有养阴生津、润燥活血的功效，多吃桃子，可以促进新陈代谢，对便秘也是极其有效的。其所含的丰富果酸具有保湿功效，还可以清除毛孔中的污垢，防止色素沉着，预防皱纹。

另外，桃子中还含有大量的维生素 B 和维生素 C，促进血液循环，使面部肤色健康、红润。对粗糙的皮肤，可以用桃片在洗净的脸上摩擦和按摩，然后再洗净，这一方法有助于保持皮肤的光滑与柔嫩。除此之外，在洗澡水中加入少许桃汁浸泡，也是保养肌肤的一个好方法。

2. 苹果：降火排毒，有助减肥

进入秋冬，苹果是最好的选择。吃苹果可以降肝火、胃火、大肠火，对于身体排泄、排毒大有好处。尤其苹果中的半乳糖荃酸非常有助于身体排毒，果胶则能避免食物在肠道内腐化。吃苹果还非常有饱腹感，可以适量减少正餐的摄入量。建议女士们早晚吃，最能排毒。

3. 香蕉：快乐水果，预防便秘

香蕉素来有"快乐水果"的称号，心情好也是美容保养，调节内分泌的关键，只有身心愉快面部才能散发活力。香蕉含有一种物质，能够帮助大脑产生使心情变得愉快的元素。另外，香蕉富含膳食纤维，能促进肠胃的蠕动，所以香蕉对预防便秘有很大的帮助，另外对上火引起的腹泻、咽喉肿痛等病皆有效果。

● 再细的女人，也要多吃粗粮

作为医生，虽然每天都要给不同症状的病人开很多药，但是我最青睐的还是食疗的方法。如果说我们稍加注意，调整一下自己的饮食就能平衡身体的需求，何乐而不为呢？多吃粗粮不仅是调节内分泌的良方，平时家里粗粮细粮结合着吃，也会更有利于营养的均衡摄入。

为什么吃粗粮能够调节内分泌呢？最主要的原因在于，粗粮有利于体内毒素的排出。粗粮最大的特点是含有较多的膳食纤维，同样分量的食物，粗粮可以减少肥胖的危险性，还有促进肠蠕动的作用，可以缩短体内垃圾在肠内停滞时间，使大便通畅，因而能够防止毒素在体内存留过久。

粗粮种类很多，其实都可以食用，不过我平时一般会向朋友推荐三种粗粮：玉米、薏仁和黄豆，这三样粗粮对女性格外的好。

玉米是很常见的食物。玉米中含有的不饱和脂肪酸、维生素 A 和维生素 E，可以降低血清胆固醇，增强胃肠功能，恢复精力，补充元气，进而缓解女性荷尔蒙分泌衰弱的症状。但是，玉米中的蛋白质不属于优质蛋白，缺少必需氨基酸，因此不可以单一的以玉米为主食，否则会造成营养不良。玉米可直接蒸煮食用，玉米粒也可以做炒菜食用，煮水喝还可以除去体内的湿热之气。

薏仁就是我们所说的薏米，属于低脂、低热量、富含蛋白质和膳食纤维的食物，有助于降血压、降血脂，能够调整身体机能，改善内分泌。对女性来说，长期食用薏米或用薏米水敷面，能够让肌肤保持光泽细腻，对消除粉刺、雀斑也有一定的功效。此外，薏仁和红枣、百合做粥喝，对女性的滋补作用也很强。

黄豆天生是女人的好朋友，它含有"植物雌激素"——异黄酮类物质，能有效提高体内雌激素的水平，从而保持乳房的青春美感，在延缓女性衰老、预防乳腺癌方面扮演着重要角色。此外，黄豆还具有很高的营养价值，有补钙、瘦身和美容三大功效。黄豆含有丰富的蛋白质，500 克黄豆中含有相当于 1500 克鸡蛋、6000 克牛奶、1000 克瘦猪肉的蛋白质。

那么，粗粮什么时候吃比较容易吸收呢？一般来说早餐可以将粗粮熬成易于消化的粥，这是唤醒沉睡一晚的"肠胃"的最佳食物，这样可增加一定量的膳食纤维，可促进肠道有益菌增殖，加速肠道蠕动，清理宿便，消除皮肤暗沉的情况。还可以在粗粮粥里加点燕麦、糙米、薏米等。若是喜欢喝豆浆的，那就要混合几种豆类来磨制豆浆了，比如红豆、绿豆和黑豆等。粗粮还可以入菜，最佳搭配是鸡蛋和肉类，做道玉米排骨汤、黄豆炖鸡都是不错的选择。

午饭我们可以多吃粗粮，午餐加上一些红薯、玉米，以及豆制品等，不但能保障碳水化合物的供应，还能提供更多维生素和人体必需的微量元素，满足整个下午所需的能量。

另外需要注意，多吃粗粮不是说只吃粗粮就行了。一星期吃 2~3 次，定期吃点小米面、红薯等。除了调节内分泌，对于一些中年人尤其是有

"三高"、便秘等症状的，还有长期坐办公室接触电脑较多和应酬较多的人群，都要注意多吃些粗粮。这样才能使粗细粮中的营养成分形成互补，以满足机体的需要。

调节内分泌也不见得非得把自己弄成药罐子，平时生活中多加注意，增加吃粗粮的频率，不但对自己好，对家人也是不错的选择。

平衡内分泌，
女人才有好气色

这本书我向你一直强调的是，女人要美丽和健康，就一定要平衡好内分泌。女人气色不好，并不一定就是常说的贫血或气虚，我见过很多天天吃肉吃枣的女人，她们的肤色也不见得多好，结果还总是上火。很多时候，气色差、皮肤差，还是由内分泌失调引起的。女人想要气色好，当务之急还是要让内分泌平衡起来，这才是问题的关键。

 黄豆，调节内分泌的好帮手

我常说女性荷尔蒙是好"色"的，尤其偏好"黄色"！黄豆就是女性荷尔蒙调节的好帮手，是女人一生的好朋友。

各位女性朋友可别小看了这一颗颗小小的黄豆，黄豆中含有丰富的"类雌激素"——大豆异黄酮，它可是公认的调节女性雌性激素水平、平衡女性内分泌的"冠军"，是保持女性年轻、推迟女性更年期、缓解女性更年期症状的"大功臣"。

关于这一点，有位患者就问我："柳大夫，是不是女人平时多吃点黄豆或喝豆浆好啊，能平衡内分泌。"我说是啊，你是怎么知道的？

她说她有一个同学，在一家出版社当编辑，算是她同龄人当中保养最好的一个了，将近40的人了看起来还跟二十七八岁似的，气色红润，体态丰满，是位特别有魅力的中年女性。她特别羡慕这个老同学。有一次她实在忍不住了，就问那位老同学："你皮肤那么好，是不是在国企待着比较养人啊？"同学笑嘻嘻地分享了经验："也不是啊，每天喝杯豆浆就行啦！"

原来，几年前，她的这位同学听人说黄豆能保养女性，但是原理并不知道，不过这并不妨碍她开始了自己的黄豆"情缘"。老同学说她每天早上都会坚持喝一杯豆浆，周末休息的时候，自己的中饭或晚饭也会直接吃一碗白水煮黄豆，这个习惯保持了好几年。她的坚持，让她最终收获了健康和美丽。

从内分泌的角度来说，黄豆对女性朋友可以说是调节内分泌必不可少的平价食品，而且制作方式和饮用方式都非常简单。黄豆中富含丰富的大豆异黄酮，这是一种非常"神奇"的物质，它在女性体内发挥着与雌激素一样的效应，却又不是"雌性激素"。它的抗氧化作用可以延缓女性衰老，使女性朋友的皮肤保持弹性。

最神奇的地方在于，黄豆和豆制品中的大豆异黄酮，能够平衡女性体内雌激素的分泌，也就是说，当你体内的雌激素分泌过低时，这种类雌激素物质会刺激雌激素分泌的增加，而当体内雌激素分泌过高时，又会使它相应减少，以保证体内雌激素维持在良好水平，使女性远离内分泌失调的烦恼。

值得注意的是，黄豆与其他食物如水果、蔬菜不同，它含有的有益成分在制作的过程中无需担心其活性成分的丢失，这跟蔬菜、水果中含有的维生素不同，高温蒸煮也不会对黄豆中的类雌激素等有效成分造成影响。

在黄豆的各种加工制品中，要数豆浆中活性成分含量高一些。而且豆浆是一种一年四季都适合的滋补食物。10 年前，还不像今天这么方便，一般人家里都没有豆浆机，想喝豆浆就去早点摊。但是现在生活方便多了，几乎家家都有豆浆机，自己在家做豆浆、做早餐，既安全又经济。所以我希望每位女性朋友都能自己动手，做一杯豆浆呵护自己。

当然，除了传统的纯黄豆豆浆外，女性朋友还可以变着花样来每日饮用，譬如红枣、枸杞、绿豆、百合等这些食物都可以成为豆浆很好的配料。

当然，还有一种很好的黄豆食用方法就是像我朋友那样，每周有那么几顿饭，吃一碗白水煮黄豆，吃出像她一样平衡的内分泌。

◐ 玫瑰花茶，喝出女人的好气色

古人说过：上品饮茶，极品饮花。人类最健康的饮料之一就是茶。乌龙茶可以降脂、绿茶可以排毒、普洱茶能够养胃，那么女人喝什么茶最好呢？都说"女人如花"，对女人来说最经典、最养颜的饮品就是花草茶。

学会以花代茶，从内平衡女人内分泌，能让你拥有鲜花般的好气色。

其实，饮花草茶早在古代宫廷贵族女子中间就已经广泛流传。中国第一本药草志《神农本草经》中记载了三百多种药物，其中就收录了大量的具有美容和保健作用的花卉品种。这些花卉除了直接具有美容养颜的功效外，还具有优化调节机体功能、增强免疫力、延缓衰老等功效。所以自古以来，无论是中国还是欧洲的宫廷女人，都会选用花草茶作为养颜怡情的必备佳品。

在上千种花草茶中，我最为推荐以玫瑰花为主的花草茶，因为玫瑰花含有丰富的维生素 A、B 族维生素、维生素 C、维生素 E、维生素 K、单宁酸。玫瑰的香气能够刺激女性的荷尔蒙分泌，增强女性荷尔蒙浓度，可缓解压力、安定神经，有助于睡眠。另外，玫瑰花还能够调节女性的内分泌系统，延缓更年期和衰老的到来，对保护皮肤和消炎也有很好的作用。

特别是工作压力大的职场女性，每天下午沏上一杯玫瑰茶饮，既能调节内分泌，还能提神醒脑，何乐而不为呢？

说到这里，我想起了我的学妹，她也算是毕业后发展得相当不错的人物了，现在是一家外企的销售主管。学妹今年也是不到 40 岁的年龄，在外人看来是美丽大方、精明干练的女强人。年初的时候，学妹打电话跟我聊天，说到最后突然发起牢骚了："学姐，你说人上了岁数真是不服老不行啊，每天我都觉得自己疲惫死了，而且脸上长了好多乱七八糟的东西。我还失眠啊，情绪也不好，总是和身边人吵架，都快烦死了！学姐，你是医生，你说我这是怎么了啊？"

我问了问她其他的身体情况和体检情况，感觉她问题不是很大，应该是工作压力和生活习惯引起的轻度内分泌失调。于是我就建议她在办公室的时候多喝些玫瑰花茶，平时也要注意休息，不要熬夜和过度劳累。学妹将信将疑地挂了电话。

半年过去了，有一天她神采奕奕地来找我说："学姐，别说你的方法还真管用，喝了几个星期你推荐的那个玫瑰花茶，感觉身体真是轻松了不少，心情也没那么烦躁了，居然有好多人说我突然年轻了！我这回是特意过来请你吃饭，顺便打算跟你再学两招儿。"看着她那份得意劲儿，我觉得她还挺小女人的。

其实，玫瑰花茶看上去很简单，功效却不简单。除了调节内分泌，长期饮用玫瑰花茶有助于促进新陈代谢，同时还有行气活血的功效，能让女性朋友拥有像"玫瑰花瓣"颜色一样的红润好气色。

如果你最近感觉自己的内分泌轻度失衡，不妨试着养成饮用玫瑰花茶的习惯，自我调节一下，坚持一两周，看看效果会不会令你满意。

另外，泡玫瑰花茶的时候，我往往会调入一些冰糖或蜂蜜，因为我不太喜欢玫瑰花的涩味，当然这个因人而异。但必须提醒的是，玫瑰花最好不要与茶叶泡在一起喝。因为茶叶中有大量鞣酸，会影响玫瑰花的功效。

不过最后我要叮嘱怀孕的女性，千万不要饮用任何花草茶，因为像玫瑰这样的花草茶有活血的功能，容易导致流产。另外，茶叶、咖啡这样的刺激神经的饮品对胎儿的发育也不好。

哪些是要少吃的
和不要乱吃的？

吃对了，就能排出毒素养，颜美容，可是吃错了，身体就要受罪。前面我们讲过，女人爱吃冷的食物，容易导致闭经等妇科疾病，所以管住嘴才是健康的保证。除了冷的食物，女人还要尽可能抵御麻辣味道的诱惑，这些容易上火的食物会让你的皮肤出问题。

● 辛辣刺激的食物要少吃

兮兮是我外甥女，在北京上大学，时不时就来家住一段时间。这姑娘说话办事风风火火，就连吃饭也是重口味，无辣不欢。没事就爱跟同学吃个火锅，每次都是放很多辣椒。所以这孩子来我家吃饭的时候，我就特意给她改改口味，做一些清淡的炒菜、白粥，或者熬上一锅清淡的豆腐或者白菜汤，怎么清淡怎么来。这孩子见状总是嗔怪我："姨妈真小气，来您家吃饭，却总给我吃这么清如水的东西。"

我心疼兮兮父母不在身边，就唠叨她："你得注意少吃点火锅、烤串之类的东西，总吃这些刺激性的食物，肠胃早晚得出问题。"兮兮每回都撒娇："反正你是医生，生病了我也不怕。"

　　记得那年正是盛夏，她们班级同学们聚餐吃涮锅，又是喝酒又是通宵。结果第二天班里拉肚子的不少，兮兮身体没出大问题。但是皮肤从来光洁白皙的她长了很多痘痘，让这个爱美的丫头受不了了，来家里就冲着我嚷嚷："姨妈你得救我，我的痘痘下不去我可见不了人了。"我说："让我救你就得听我的话，先忌口，别吃辛辣腥膻的东西了，这一两个月也别想着去火锅店了。"

　　有人问了，为什么四川女孩爱吃辣，却不长痘呢？这是因为四川属于关中地区、盆地气候，湿度大、寒性大，适当吃辣还有利于身体祛湿保暖。四川女孩从小就吃辣，身体机能已经适应了辛辣味，也就是说只要适度吃辣，对她们影响都不大。这种感觉就像海边长大的人吃多少海鲜都没事儿，内陆的人偶尔吃回海鲜就会闹肚子、过敏一样，我们的身体也有个自我适应的过程。

　　北方人过去不怎么吃辣，但是现在川菜馆到处都有，人的口味也变了。我发现现在的女孩子都挺爱吃辣，就算不怎么能吃，也要吃上一点，觉得辣的菜味道香，容易"下饭"。但问题在于，北发气候干燥，吃辣容易上火，从内分泌的角度来解释，辛辣的食物会刺激脂质分泌腺旺盛，皮肤的角质层不平衡，无法正常地新陈代谢，造成角质和油脂堵塞毛孔，所以痤疮或是说痘痘就出来了。

　　所以，如果你不是在四川、湖南长大的，最好少吃辣，否则上火了，内分泌失调了，皮肤就遭殃了。而且女性朋友们本身内分泌就容易混乱，特别是生理期前后，如果是有妇科炎症或者是皮肤病更要忌口，这些辛辣的东西能不吃就不吃。

另外，动物的内脏由于所含的毒素较多，也不建议食用；在生理期，海鲜是极寒的食材，女人一定不要吃。当然，这两点一般有常识的女性都知道。

总之，在诱惑面前，多想想忌口能带来好的皮肤和容颜，你就能坚持了。

乱吃保健品，花钱买罪受

现在生活水平提高了，于是很多人在健康美容上的花销都要大大超过以前，常听说一些女性朋友吃了某保健品更年轻了，还有很多中老年朋友为了改善身体的健康状况，不经医生指导，自行补雌激素。每次听到这样的事我都暗地里替他们捏一把汗，但愿她们别出现副作用。

这种担心当然是基于乱吃保健品的不良影响，人体内的激素水平是因人而异的。如果不按照医生指导服用激素，不仅起不了改善身体健康的效果，反而会造成副作用。特别是身体有其他病症的人更应该慎补，如果补充不当，不仅会加大肝、肾功能的工作量，还会影响身体健康。

前不久有一次跟朋友聚会，朋友告诉我，她表妹最近刚动了手术，右侧乳房患乳腺癌切除了，而且幸亏发现得早，没有转移。吃饭间朋友们就开始讨论，我之前听朋友说过她的表妹为了保持年轻，延缓衰老，吃了不少美容营养品，朋友问我是不是这些保健品害得她表妹得了癌症。我心里一下子很不是滋味，才30多岁的姑娘，多可惜啊。

其实在演艺界很多女明星除了保持合理饮食、定期做皮肤护理外，还有就是补充雌激素，才可以看上去青春永驻，容颜不老。所以很多女人都希望通过补充雌激素来延缓衰老。普通百姓很难想象，很多保健品的无良商家会在这些所谓的保健品中掺进了很多和雌激素雷同的成分来达到预期的效果。所以，这类保健品就应该慎重购买服用，即便是真正安全的雌激素，对于体内雌激素少又没有其他的妇科病，比如子宫肌瘤、卵巢囊肿等病，服用雌激素还算比较安全，相反的情况下，后果就不堪设想了。

朋友的表妹就是患有子宫肌瘤，体内雌激素水平已经不低了，这种情况不适合再补雌激素类的营养品。而她的表妹不知道这个道理，为了追求年轻、追求美，吃了含有激素类成分的营养品，所以保健品没保健，反而害了她。

说完这件事，朋友说您不是医生吗？快给我们普及一下，让我们也多增加点常识。我说市面上的保健品、营养品，都不要随便吃，要吃也要弄清成分，尤其女人不能随便补雌激素，要补一定要在医生指导下服用。因为很多的保健品都含有雌激素，比如说蜂王浆绝对不是谁都能吃的，里面就有雌激素。朋友立刻说："我表妹就是每次生病都要吃蜂王浆，觉得这样有利于身体恢复。"我对她们说现在以蜂王浆为主要成分的营养品很多，但有些人就不能吃，比如，过敏体质的人服用以后就容易出现气喘、皮疹、皮肤瘙痒等症状。还有低血糖患者、肥胖者、手术初期患者、孕妇，最重要的是发育正常的儿童，服用后容易造成幼儿性早熟。

我看见大家若有所思地点头，也感到一点欣慰，我是真心地希望大家都健康，朋友的表妹要早知道不能瞎补保健品，今天的悲剧也许就不会发生。都说花钱买健康，但是这钱也得花对地方不是？而我们光有保健意识是远远不够的，最重要的是掌握一定的科学保健知识。

一般来说，30 岁之前的年轻女性本身雌激素水平就高，只要合理安排饮食、保证睡眠，根本不需要服用保健品。雌激素水平高的女性要慎用美容化妆品。对于雌激素水平下降的更年期女性，即便补充雌激素，也要在医生的指导下，制定计划安全服用雌激素，千万不要乱吃保健品。

不节食
也能拥有好身材

有人说，女人的好身材有两个标准：一是该瘦的地方瘦，二是该突出的地方要突出。于是，好多女人为了达到世人的标准，该吃的饭不吃，不该吃的药乱吃，导致了各种健康问题的发生。在医院里，因为减肥美体而导致内分泌紊乱的患者可不在少数。所以在这一节里，我想我应该给追求好身材的女人讲讲正确的瘦身和塑形方法，或许会让你受益匪浅。

过度减肥的结果是悲剧

唐代女人以胖为美，今天的社会，女人则以瘦为美。以前都流行一句话叫"一白遮百丑"，而现在还要加上一条，叫"一瘦遮百丑"。有好多女孩子，都在嚷着"我要减肥"，标榜"瘦才是王道"。

我见过很多女孩儿，为了追求"瘦"，疯狂地服用减肥药，还节食减肥，结果身体是瘦下来了，体质和发育也变差了。原本正常的生理功能被破坏，内分泌也失调了。

　　我印象最深刻的是北京妇产医院刚成立我们妇科内分泌科室的第一年，有件事给我触动很大，也让我一直记忆犹新。一位妈妈带着女儿来我这里看病，妈妈是个体态匀称举手投足都很有修养的中年女性，也很有气质，只是因为女儿的过度减肥而憔悴不已。这个女儿20岁左右，第一眼看上去就会让人不忍惊呼："小姑娘，你怎么瘦成这个样子？"毫不夸张讲已经是一把皮包骨了。

　　听她的妈妈叙述，这个叫彤彤的小姑娘，从上高中开始就节食减肥，然后背着家长滥用泻药、减肥药，高三备考的时候就时常晕倒，最后还是家里花钱进了一所民办大学。上了大学开始住宿生活，家长无法时刻监督孩子，于是彤彤在减肥路上越走越远。这位妈妈带着彤彤看过协和医院的医生以及国内几位著名的中医，现在20岁的年纪已经闭经半年多了，于是来我这里寻求帮助。

　　我记得当时是一边扼腕叹惜，一边帮彤彤做的检查。但我知道像彤彤这种典型的神经性厌食，治疗起来很有难度。因为长期滥用减肥药物，已经出现严重的营养不良、代谢和内分泌紊乱的现象，现在进食一点东西都会呕吐出来，胃酸已经腐蚀掉了几颗牙齿。如果继续发展下去，将会出现多器官衰竭的现象。在彤彤来医院后的第三个月，我接到了她妈妈的短信："柳大夫，感谢你对彤彤的鼓励和帮助，但最终我们都无能为力，孩子在上周三走了。感谢在彤彤最后一段生命里的每一位好心人……"我记得当时拿着手机愣了很久，心中的遗憾和惋惜难以言表。

　　从接诊彤彤这位患者之后，遇到身边任何一位想减肥的女孩子，我都忍不住多叮嘱几句，健康绿色的减肥才能够真正达到减肥的目的，而且减肥也要减到为止，过度地消瘦成一层皮包骨，女性所有的正常生理功能也会遭到破坏，月经失调，月经量减少，闭经甚至不孕，这些都绝不是危言耸听。因为卵巢是我们女性体内的雌激素分泌腺，它在合成雌激素的过程中，是需要一定的脂肪参与的。当我们体内合成出女性生理必需的雌激素，我们才可以保持稳定的女性生命质量，才能展现出自然健康的体态之美、容貌之美。

尽管节食对于减肥是有效的，但是节食最大的问题是会导致营养摄入少，不能满足身体机能的需要，还会带来各种问题。如果一个人长时间节食，会造成颈部的甲状腺分泌失调，加快了新陈代谢的速度，体内就很难保存住维持生命的能量。节食不但会造成甲状腺疾病，还有可能危及人的生命，所以这种减肥方式肯定是不可取的。

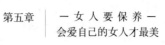 塑造形体，多做瑜伽多跳舞

那如何才能做到身材匀称呢？我通常会建议大家多做瑜伽多跳舞。

对女性朋友来说，瑜伽和跳舞不仅可以重新调整身体机能，使肌肉与骨骼得到充分的运动和拉伸，起到燃脂、减肥的目的，而且还可以使身体更加结实，线条更加完美，也就是做到身材匀称。以爵士舞为例，它属于一种全身性的运动，可以很好地锻炼腹部还有腿部的线条，而且可以有效地减少这些部位的脂肪，达到减肥的目的。

我们常说"由内养外"。好的身材、好的气质也是由内向外散发的，只有"养"出协调的内分泌，我们的身体才能保持匀称。而适度地进行像瑜伽和跳舞这种有氧运动，就能够有效地调节内分泌。

女性的身体可以说完全受各种腺体分泌荷尔蒙所控制，每一个器官、细胞都直接受这些荷尔蒙的影响。所以，荷尔蒙分泌正常时，人体才能正常地成长，若有任何一种腺体分泌不平衡，就会引起身心两方面不同程度的疾病。

跳舞和瑜伽动作能使各个腺体的分泌作用趋于平衡。以瑜伽运动为例，瑜伽体式中的弯、伸、扭、推、挤都可以直接使身体主动地按摩和滋养各内分泌腺体。而且这些动作通常需停顿相当一段时间，在这段时间中，会给腺体以适当的压力，起到强化内分泌腺体的作用，使其正常分泌。

比如说，瑜伽运动中有一套称为"束角式和坐角式"的动作，对女性朋友的卵巢保养就很有益处。这套动作可以给下腹部特殊的挤压，从而刺激卵巢功能旺盛，使女性朋友给自己的卵巢做一次保养。

跳舞也是对女性极有帮助的，我特别推荐职场女性在下班之后学跳拉丁舞。跳拉丁舞和瑜伽一样，有三个好处。首先，我身边常跳拉丁舞的女士没有肥胖的，因为拉丁舞运动量大，能够对瘦身起到非常好的作用；其次，拉丁舞和瑜伽一样，都是突出女性优美柔和的一面，在音乐的作用下，能帮助女性提高雌性荷尔蒙的分泌，提升你的外在气质；最后，拉丁舞对动作的伸展性要求比较高，常跳拉丁舞能够让你的颈椎、腰椎得到极大的锻炼，所以对久坐办公室的女性格外地好。

我住的小区有位大姐，50 多岁，每次我见她都是脸色红润、皮肤紧实、身材苗条，给人特别有精神的感觉。有一次我忍不住问她："你保养得这么好，有什么秘诀吗？难道是用了雌激素？"其实我是想等着她说一直服用雌激素类保健品，然后我就从医生的角度告诉她要注意别补大了。

但出乎我的意料，她说她的秘诀就是和老伴儿每周去跳几次拉丁舞。这个爱好从 40 多岁就开始了，她觉得既健康又有意思就一直保持下来。10 年了，大姐说她每年都去检查身体，妇科、心血管、内分泌都很正常，所以她逢人就推荐大家去跳拉丁舞。

从那次交流之后，我也开始定期去跳拉丁舞了，我能明显地感觉到，坚持一段时间下来，别的不说，整个人的"精气神"都有了很大的提高。渐渐地，我也爱上了这项最适合女人的舞蹈。

当然，无论你选择瑜伽还是跳舞，都一定要选择专业的场馆和教练，建议采用循序渐进的运动方式，否则会对身体造成伤害。

运动减肥一直都是雷打不变的有效减肥方法，而通过瑜伽和跳舞减肥，既不像普通运动减肥那样枯燥，又能快速达到减肥塑身的目的，还能调节内分泌，让你做一个由内到外十足的美丽"瘦"女人！

如何让乳房变得更有型

常有娱乐新闻对明星的报道，说很多女明星为了保持身材的曲线，能够在走红毯的时候尽显风采，不遗余力地丰胸。还有很多人为了保持身材，怕胸下垂，生完宝宝后不用母乳喂养。作为妇科医生，我深知这其中的利弊并为之遗憾。其实要保持胸部的形状，我有很多方式方法，还有一些误区我们也要了解。

胸下垂有很多原因，从小不注意文胸的佩戴，让胸部得不到正确的保护就是一大原因；还有一些女性朋友节食减肥，只看到体重减轻却不注重胸部得不到足够的营养和脂肪，已经发生微妙的变化，开始下垂；当然自然衰老更是一个不可抗力因素。

乳房的生长发育主要受生殖内分泌轴系的多种激素的影响，如脑垂体分泌的促性腺激素、泌乳素、卵巢分泌的雌激素和孕激素；此外还需要肾上腺和甲状腺分泌的激素、垂体分泌的生长激素等的作用，乳房的发育才能充分、完善。

一般女性年纪增长后会有胸下垂现象，人变老后各种机能都有所减退，内分泌机能同样下降。上年纪的女人乳房下垂，则是皮肤、支持组织、脂肪和腺体都明显退化、萎缩所致，乳房的表现为空囊状下垂。

在平时的生活中我们可以做很多尝试去保护胸部，这里给有胸下垂困扰的女性朋友们两个妙招儿，对于我们的乳房保护很有好处。

首先，你可以经常给乳房做按摩。通过按摩可以舒缓乳房的紧绷感，从而使乳房更加丰满，并且有效避免肌肤松弛。双手手掌交互托住乳房下方，轻轻上提，再托着乳房外侧往内推，可避免乳房下垂和外扩。每晚临睡前热敷两侧乳房 3~5 分钟，再用手掌由左至右按摩乳房周围 20 次，坚持按摩 2~3 个月就能见效。乳房按摩能促进性腺分泌激素，使卵巢分泌雌激素，从而促进乳腺发育，不让乳房因为减肥而掉肉。

然后，你还可以冷热水交替沐浴。沐浴时水温不宜太高，否则可能会让乳房的结缔组织老化、身体肌肤失去弹性。淋浴头由下往上倾斜45度角，以冷热水交替的方式，对乳房下方进行冲洗和按摩，刺激乳房血液循环。此外还可以多游泳，游泳可以不分季节地进行。每周游泳1~2次，对乳房的健美大有益处。水对胸廓的压力不仅能使呼吸肌得到锻炼，胸肌也会格外发达。当然，经期就不建议各位女性用冷水沐浴了。

　　除了下垂，困扰女性的乳房问题还有平胸或不够丰满，一方面是因为有的女孩发育迟缓，另一方面是有的女孩害怕肥胖，因此过度节食，不吃或少吃营养食品，全身都比较瘦弱，导致维持新陈代谢的养料不够，全身的脂肪较少，也会使乳腺发育不良，使乳房较小。这常常是身体发出的警告，说明营养的缺乏已引起了内分泌的异常，如果不注意，那就不只是乳房的问题了。

　　如果你觉得自己的乳房发育不够完美，那么我们可以从饮食上进行补充，特别是注意多补充一些B族维生素，B族维生素有助于激素合成，它存在于粗粮、豆类、牛乳、牛肉等食物中。因为内分泌激素在乳房发育和维持过程中起着重要的作用，雌性激素使乳腺管日益增长，黄体酮使乳腺管不断分枝，形成乳腺小管。这种丰胸方法可以使胸部二次发育。民间流行的各种丰胸食谱，例如木瓜、黑芝麻、黄豆等，不妨常吃些。

　　还有一个很有效的食谱是用青木瓜炖排骨，是最经典的青木瓜丰胸汤式。青木瓜内含大量的木瓜酵素，可分解蛋白质、糖类，还有女生们最恨的脂肪。木瓜中丰富的木瓜酶对乳腺发育很有益，刺激女性荷尔蒙分泌，乳腺畅通，达到丰胸的目的。

调整情绪，
别让荷尔蒙乱飞

有一首老歌叫《谁的眼泪在飞》，换到现在的都市女性朋友身上，用一句"谁的荷尔蒙在飞"一点儿也不为过。确实在高压的生活状态下，紧张的节奏中，我们的压力不断变大，尤其女性朋友，面对工作、爱情、婚姻、家庭还有来自社会的林林总总的角色，难免让我们的内分泌不经意间失调。所以调节自身的情绪，学会真正地关爱自己，才可以让我们体内的内分泌保持平衡，让这些不安分的荷尔蒙各归其位，各司其职。

抑郁和焦虑是内分泌的"毒药"

我们作为一个自然人，生存在这个世界上，未来充满各种凶吉未卜。只要你是一个人格、智力都健全的人，都会有一些对未来事物或多或少的担心与焦虑，这个是完全正常的。但什么事情都是过犹不及，临床这么多年，其实女性朋友的很多疾病都是由抑郁、焦虑、躁怒等不良情绪所造

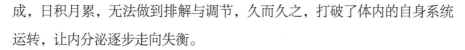

成，日积月累，无法做到排解与调节，久而久之，打破了体内的自身系统运转，让内分泌逐步走向失衡。

我承认，有一些女孩子得了妇科内分泌的疾病是由饮食不当、生活习惯不好造成的，但有一部分女性则是由于内心的疾病无法自愈，演变成了妇科疾病。这类女性朋友，其实解铃还须系铃人，必须早日解开内心的那个症结，还自己一个豁然开朗的心境，治疗起疾病才可以事半功倍。

记得去年暑假的时候我接待了一个从呼和浩特来的女孩子，20岁，症状是闭经3个月。之所以记得这么清楚，是因为她去年刚高考完，已经复读了一年的她这次仍然没有考好。但因为年龄已经比同届生大，所以这次不想再复读，但又深深懊悔这个不理想的成绩。就这样一直满脸愁云。来的时候，这位女孩的妈妈也是一脸的心疼，女孩子面色萎黄，下巴上还起满了痘痘。

很明显，这个闭经的症状与她这几个月来的高考压力以及高考过后的深深自责与矛盾纠结都有着直接的关联。除了给她做了一些常规的检查，开了一些药，然后不断安抚她，告诉她首先闭经是短期现象，不代表以后永远不来月经，通过药物辅助还有心理的调节放松，会很快恢复到之前的规律状态中。想到自己的女儿早晚也要经历高考这一关，出于母亲的天性我还是鼓励了女孩子几句："你看你20岁本来是最美的年纪，如果身体调节好了，下巴痘痘也没了，多漂亮的小姑娘啊。年轻就是最大的资本，起点虽然有高低，但是人的潜能是无限的，走出这种郁郁寡欢的日子，前面的大好前程等着你呢。"听完我的话，母女俩都放松了表情，露出了久违的笑容。

还有一个"病人"，虽然没有挂过我的号，但是我对她的病因病情了如指掌，因为她是我的表妹。表妹30岁出头的年纪，孩子刚刚2岁，因为工作压力大，双方父母有一方没退休另一方身体不好，她一直在纠结到底是一狠心辞职带娃还是把孩子直接送进幼儿园。辞职，怕收入减少一大块，生活压力增加；不辞职，感觉天天上班如坐针毡，心里惦记着孩子，工作上也屡屡出错；孩子送幼儿园又怕孩子太小，自理能力差，老师照顾不周，身体抵抗力差，交叉感染，生病住院……每次家庭聚会听到她念叨的就是没完没了的顾虑。最近一次见面，她已经严重到了失眠、脱发并且月经错后12天。她问我她是不是患上了焦虑症，内分泌开始严重失调。

我跟表妹说像她这样症状的患者我见得不少，确实这种对未来还没有发生的事情过度担心和纠结，总是一种恐惧的心态，这是比较典型的焦虑症状。我跟她讲其实我们每一位职场妈妈都是从这个阶段挺过来的。首先，孩子远远没有我们想象的那么脆弱，早点儿上幼儿园，孩子有了自己的小朋友，多学点东西没什么不好。孩子上幼儿园生病也是再正常不过的现象，这是他们自身免疫力重建的一个过程，未必是坏事。凡事往好的方面去想，结果远比你预计的乐观多了。

不管是抑郁还是焦虑，这些都是人类的情志障碍，如果从中医角度而言，这些心理障碍都会影响肝胆的生理功能，导致气郁失达，功能失调，从而扰乱心神，最后转化成很多妇科内分泌上的疾病。它很多成因于人们内心的不自信与不豁达，甚至带有一些无知的因素，但勇敢与乐观是两剂良药，可以让我们真正做到内心阳光灿烂。

好心情是平衡内分泌的良药

几乎所有的女性患者，在她们走进我诊室的那一刻，哪怕是化着浓妆，我也能通过观察她们的气色、神情和精神状态，判断出她们内分泌的大致状况，而且判断结果往往八九不离十。为什么呢？即便化妆可以掩盖斑点和皱纹，但你的心情、精神面貌，是很难伪装出来的。

内分泌和心情之间的关系，有点类似于到底是先有鸡还是先有蛋这类问题，它们可以说是相互制约、相互影响的。

很多时候当我们感觉自己的工作、生活压力很大时，往往要打起精神来、更加努力地去应对。这时候，我们的精神状态是比较紧张而亢奋的。假如长期处在这种如临大敌的备战状态下，我们的神经系统肯定是会受到影响的，它的调控就可能不那么精准了，而是出现异常。这时候，体内的内分泌系统就可能出现紊乱，让荷尔蒙失衡。

虽然我们体内的荷尔蒙原本是微量的，但是只要一点点变动都有可能带来重大的影响。而我们的内分泌系统又是异常敏感的，很容易受到情绪的影响，不管是暴躁紧张，还是心绪不安，都很容易导致内分泌失调。

但反过来讲，荷尔蒙失衡同样会影响我们的心情，让我们的脾气变得更急躁、更焦虑。大家想想更年期女性的状态就可以感受得到。

假如真的处于更年期，面对体内荷尔蒙的巨大变化，我们出现情绪失控或者心情糟糕的情况，也算是可以理解。可问题是很多女人，身体明明没有什么大问题，却因为在日常生活中不能很好地控制情绪，导致荷尔蒙失衡越来越严重。这不仅影响容貌、体形，影响身体健康，更会形成一种恶性循环。对于这种情况，我老公的表姐就是一个典型的案例。

她受过良好教育，我认识她的时候，给我留下的印象是，这是一个性情温和、谈吐高雅、彬彬有礼的人。在 30 岁之前，她也的确一直是这样。

可是，当她在 30 岁生下儿子之后，像是变了个人。我指的不仅仅是外貌，还有性格。由于生产的原因，她的身材变得臃肿，脸上也长了很多妊娠斑。这固然有损她的女人魅力，但这些情形并不罕见，大部分产妇都要经历这一过程。我们只要悉心调养身体，完全有希望恢复往日的风采。

但也许是长久以来习惯了自己外形上的优越感吧，她不能容忍这样"丑陋"的自己。在家休产假的日子，她除了不听任何人劝告、近乎疯狂地减肥之外，还到处打听祛斑偏方。我不止一次劝她，别乱往脸上用祛斑美白产品，如果愿意的话，可以先让我看看成分再用。但也许是爱美心切，她显然没有听从我的劝告，各种美白淡斑产品轮番上阵。

产假结束的时候，按说一般产妇的身材都应该恢复得差不多了。至于斑，即便没能完全消除，也是可以淡化的。可是她呢？依然身材臃肿满脸黄褐斑。更要命的是，她变得性情暴躁，特别悲观，源源不断地向别人传递负能量。

记得有一次我们带她一起去野外散心，面对自然美景，大家心情都很愉悦。可是扭头一看她拉长的脸，我们都觉得扫兴，而且也不好意思表现出自己的喜悦心情。就这样，她变得越来越不受欢迎。而且最近听老公的姨妈说，这位表姐的夫妻关系也相当紧张，这并不奇怪，她一直抱怨都是为了给老公生儿子，结果把自己给毁了，这话谁听了会高兴？

其实说起来，产后荷尔蒙失调和产后忧郁都不是什么大问题，她完全没必要把自己弄到这个地步。只是现在，她已经在一个可怕的恶性循环中走不出来了，这种状态只会让荷尔蒙更加严重地失衡。即便服药，坏心情也会让药效大打折扣。

其实我们都有过这样的体会，生病之后，如果我们可以及时调整心态，不仅有可能让我们忘记或者减轻身体的疼痛，而且即便服用的药物剂量很小，也能达到事半功倍的效果。而心情糟糕的时候呢，恰恰相反。这绝对不是唯心主义，我们的身体有太多秘密，远比我们想象的更加神奇。

一般来说，无论是情绪的紧张、压抑、忧郁、烦躁、纠结、沮丧，这都是坏心情的表现，偶尔释放并无大碍，但长期处于这种情绪状态下，对于荷尔蒙的影响绝对不小。所以，我会一再向病人强调："一定要保持好的心情。尽管我知道这会让你们有点儿为难，但越是状态不好，越应该努力让自己心情好起来。"

需要提醒大家的是，人都有七情六欲，偶尔都会有情绪爆发，心情有点儿小烦躁、小抑郁，这都是很正常的。你每天都开开心心，偶尔才会出现心情不好的情况，这对荷尔蒙平衡是没有太大影响的，大家不必过于紧张。倘若原本已经心情不好了，又因为坏心情可能影响荷尔蒙分泌而担忧，就只会雪上加霜。

这时候我们应该做的，只是尽快调整自己的心情，让坏心情变得平静，然后再恢复好心情。很多时候，我们是没有办法改变一些客观事实的，我们也无法控制某些局面，但我们自己的反应和态度，还是可以掌控的。有句话说得好，不能掌控心情，何以掌控人生呢？从今天开始，就努力尝试让自己保持好心情吧，不管在任何情况下。

懂得生活
的女人更美丽

现实中太多的女人因为家庭生活而放弃了自己，一成不变的家务、繁重的工作、头疼的孩子教育问题，甚至是不和谐的婆媳关系等，都在"催促"女人赶紧变老。但是生活能带给你的绝不是更多的压力、疲惫和烦躁；相反，会生活的女人会从自己的"小日子"中汲取健康的元素，这种对身体的影响往往是超越医学范畴的。一个很有意思的事实是，心中常有幸福感的女人内分泌问题就少，可见，生活对健康的影响是多么巨大！

 和谐性生活也能调节内分泌

虽然这是一个成人话题，但不可否认，这个话题对于我们成年女性有着至关重要的意义。很多人都觉得做爱只能让人获得短暂的快感，除此之外就是精力体力的消耗，甚至还要为当初的一时之快付出很多沉重的代价。我们在这里提倡的是夫妻或情侣之间健康、稳定和谐的性生活，拥有这样一种健康和谐的性生活，事实上对我们的身心大有裨益，尤其是女性朋友。

从生理角度而言，和谐的性生活可以让我们的体内分泌出一种叫多肽的化合物，当夫妻双方全身心地投入性爱中时，体内就会增加糖皮质激素的分泌数量，从而刺激人体分泌更多的多肽。到底什么是多肽我们没有必要在这里深究，但大家一定知道蛋白质对人体的重要性，说白了多肽的作用就是除了蛋白质对人体所具有的营养作用外，还能起到很好的身体调节作用。这种作用几乎涉及人的所有生理活动，如内分泌、神经以及生长生殖等方面。它像是一个人体内分泌的调解员，可以让内分泌恢复到最佳的平衡状态。当然体内多肽增加，还可以大大提高人体的免疫力。

记得我实习那年，一位临床老师在出门诊的时候，遇到一个面如菜色的病人，不到 40 岁的年龄，出现了严重的月经失调，在问及性生活是否和谐时，对方非常隐晦地告诉我们夫妻都很忙，一个月也未必能有一次性生活。除了内分泌失调之外，她还患有严重的偏头痛、关节痛。我非常清楚地记得，最后我的老师开玩笑地跟这位患者说："还不到 40 岁，月经不调咱就对症下药，但是你这些偏头痛、关节痛我给你出一个不花钱的方子，那就是多和爱人亲热亲热，性爱可以促进大量多肽分泌，足量的多肽是可以缓解人体各种疼痛的。有这么便宜的药方还促进家庭和谐，干吗非要来医院花冤枉钱呢？"说完，那个患者也脸红地笑了起来。

其实和谐的性生活不仅仅有这些益处，它还可以促进我们的睡眠，女性朋友尤其是内分泌失调的人都容易失眠，当你经历一次和谐完美的性生活之后，全身心的状态都是由激动紧张变为放松舒缓，肌肉在紧张之后也得到了自然舒展，睡意来袭让我们可以迅速入睡，一夜好眠。

再有女性也容易患经前综合征，不管是发脾气还是小腹的隐隐下坠感，都是身体周期的一个信号。在经期前的三五天，流到骨盆的血液会增加，此时如果女性可以在性爱中达到高潮，肌肉收缩也会迫使血液迅速从骨盆区域流出，这样骨盆的组织得以放松，自然也会缓解各种疼痛，如果女性在经期前即将发脾气，聪明的男人别忘把自己的爱人揽入怀中，一场和谐的性爱可以成功避免一场家庭大战。

当然我们最常听到的性爱对身体的益处就是可以燃烧卡路里，这个也是非常有科学依据的，一个热烈的缠绵的吻就可以燃烧 12 卡路里，10 分钟的爱抚就可以燃烧 50 卡路里，以此类推的话，一场热烈又兴奋的性爱之旅简直就是一场瘦身之旅啊。所以我鼓励身边的成年女性朋友，上帝造人，它赋予了人类恋爱与做爱的权利，并且馈赠了人类特有的灵肉欢愉。我们要积极去享受这种欢愉，它能让你在性爱的过程中感受到对方真实的爱，能够提高女性的自信心，同时也可以更好地走进对方的心里，更容易跟爱人沟通，让双方恩爱有加，增加幸福度。

在这里我还要与所有的中老年朋友纠正一些误区，在中国这个特有的国情背景下，我们的大众百姓本身对性话题有所避讳，非常保守。尤其谈到老年人性生活，大部分人都会觉得诧异，甚至暗自觉得这个老人不正经。其实这些都是非常荒谬甚至愚蠢的想法，这也是我门诊多年，看到很多比我大不了几岁的女性朋友就早已如大妈一般面无光华，浑身是病。如若问起性生活，更是一句"早就没有了"来回击我的发问，像是在说，我都这个岁数了，你怎么还问我这种问题。

其实在国外 60～70 岁的老年人中有近 70% 的人群还能过正常的性生活，我们国内许多老年夫妇就是因为守旧的传统思想压抑自己的需求，从而也就丧失了性爱的乐趣甚至性能力。请记住，即便你老到无法单纯地完成性交，你也仍然可以与爱人接吻、拥抱、爱抚……这些都是性爱的范畴，上了年纪，性机能随之下降或丧失，但性功能是依然存在的。对老年朋友而言，体内的性激素肯定会越来越低，如果很早就没有了性生活，只会加速我们性器官的萎缩，内分泌失调，体内各项机能相互影响相互制约，你的身体健康只会每况愈下。从医生的角度建议，60 岁以上的夫妇最好每个月可以保证一两次性生活。根据自己的实际情况逐渐减少性爱次数，但千万不可早早结束自己的性生活。

● 释放安多芬，为幸福加分

很多爱笑的女孩子都显得异常美丽动人。因为人在快乐的时候体内会释放出安多芬也叫内啡肽的一种物质，安多芬是由人体内的神经系分泌出来的，它的功能就是使人精神愉悦，感觉欢畅和幸福。当你幸福快乐的时候，整个人都会感觉非常良好，并且看上去神清气爽，对未来充满信心，感觉每一天都是一个全新的开始。

我有一位患者，她是中国台湾人，与老公长期在北京工作，37 岁，因为多囊卵巢综合征一直没有怀上宝宝，所以她只要人在北京，每个月都要到我这里定期做排卵监测，一直积极配合治疗。她给我印象最深的就是素养很高，并且爱笑。30 多岁的年龄笑起来却像小姑娘一样清纯羞涩。因为接触次数多了，我们也成了不错的朋友。在门诊的时候，我也会一边给她治疗监测一边多聊几句。每次都会夸赞她对生活的态度积极乐观、不卑不亢，她告诉我，在台湾地区，当地有一种说法，上帝挨家挨户地派送天使宝贝，留到最后的都是最好的。并且强调老公给了她满满的爱与关怀，她很知足、很感恩。

据她说，在朋友圈中正是因为她的幸福快乐才有了"安多芬"（内啡呔）这个绰号，当她告诉我的时候，我第一反应就是非常贴切！所以每次看到她，我都会想到"安多芬"这个词，想到"安多芬"，自然呈现出一张幸福快乐的脸。

说起"安多芬"，它是人体可以分泌出的一种快乐激素，也被称为快乐年轻的荷尔蒙。别看它微量，却和我们关系巨大，这种荷尔蒙可以帮助我们保持年轻快乐的心态，掌控着我们人类的幸福感。这样看来人们所要获得的幸福感是需要真实物质基础的，而这些物质基础并非需要金钱购买，它只是我们体内自产自销的快乐激素。说它是激素还不如称它为能量，它能激发我们的免疫系统，帮助我们获得快乐和幸福。

这位绰号为"安多芬"的台湾地区患者还跟我说了一件有意思的事情。有一年她回台湾地区，特意去看了一名歌星在台北的演唱会。这位大明星唱满 20 首歌后大汗淋漓，歌迷让他学习他的太太多锻炼多跑步，这位大明星回答，我太太热爱跑步是因为运动可以分泌"安多芬"让她变得快乐。歌迷喊道你也可以跑步哦，这位歌星开心地说："我不跑了，我太太就是我的'安多芬'。"这个故事很有意思，告诉我们拥有"安多芬"就拥有幸福和甜蜜，同时也告诉我们通过运动可以让人体分泌出"安多芬"。

我们都有过这样的感受吧，运动之后感觉身体放松了，内心的烦扰也一扫而光，变得心胸开阔，思路清晰，整个人焕然一新。为什么会这样呢？从神经科的角度而言，运动可以使人神经放松，带来快乐。从心理角度而言，运动对于人的情绪有着很好的调节作用，人体内很多负面的能量或物质都可以通过运动、流汗得到很好的排解和宣泄。最主要的是大脑在运动之后就会产生"安多芬"这种激素，让人感觉到前所未有的轻松与快乐。

但并不是一个简单的运动就可以分泌"安多芬"，在某种意义上，"安多芬"这种物质是相当吝啬的。当我们运动量超过一个阶段或者级别的时候，体内才会分泌"安多芬"。比如跑步、游泳、健身操或者骑行这些运动，强度稍微大一些，时间长一些才有效果。

我们也可以通过欣赏音乐释放"安多芬"，音乐可以疗伤，有的人可以听着一首歌肆无忌惮地哭泣，也可以默默地露出微笑，这是因为这首音乐与她内心产生了共鸣，每一个音符都融入了她的体内，走入她的内心，给人带来彻底的放松与幸福感。在这种心境之下，"安多芬"也会大方一回，让人由内而外地产生欢愉。

当然吃到心仪已久的美食、遇到赏心悦目的景色，只要可以撩拨起你那根幸福快乐的神经，视觉、味觉、嗅觉都会把信息传递给大脑，促进很多激素的分泌，其中首当其冲的就是"安多芬"。

其实让人体分泌更多的"安多芬"可以有很多途径，当我们真正领悟到幸福快乐的真谛，就可以控制好自己的快乐激素，想要这种永远年轻快乐的激素在体内一直维持标准的水平，秘诀只有一个，那就是快乐与笑容。

| 附录 |

常见
内分泌问题
解答

妇科常见病

1 月经不调容易引起哪些并发症?

柳顺玉:月经不调会导致面部色斑,严重者会不孕、出血、子宫内膜增生。

很多女性都知道,正常月经的周期为 21～35 天,经期持续 2～7 天,平均失血量为 20～60 毫升。若是你的月经周期、持续时间以及出血量的改变,不符合上述标准的,都可以视作月经不调。月经不调是妇科常见病,涵盖的范围较大,既包括器质性也包括功能失调性子宫出血。

月经不调的女性,一般会伴有头痛、头晕、脸上长色斑和暗疮等,严重的因为内分泌激素水平紊乱,会引起不孕、大出血、子宫内膜异常增生甚至癌变等,对女性身心健康造成很大的影响。所以,如果你有月经不调的情况,还是需要引起注意的。

2 好几个月来一次例假，算是"季经"吗?

柳顺玉: 根本没有"季经"这回事儿，好几个月来一次就要看医生了!

我知道美国有一种避孕药，能够改变月经的周期，让女性月经变成几个月来一次。但是，来我这里看病的患者，都没有吃过这种药，很多人的月经却变成了一年来三四次，她们告诉我说这叫"季经"。我告诉她们，根本没有"季经"这回事儿!

正常的月经，依赖于女性下丘脑—垂体—卵巢性腺轴的周期性正常变化，健康的女性会一个月来一次月经。如果你在20～40岁，出现几个月来一次例假的情况，就要小心了，这说明你的卵巢没有规律周期性排卵，应及时就诊，根据检查和诊断的具体情况给予正确治疗。

3 什么样的生活习惯会导致月经不调? 怎样改善?

柳顺玉: 从饮食、心情、运动、休息这四个方面养成好习惯!

不良的生活习惯会影响到女性生殖内分泌正常工作，尤其影响到女性的卵巢功能时，容易导致月经不调。我们科室曾经对不同年龄的女性做过调查研究，结果发现月经不调的女性多存在于以下一些类型: 经常出差的职场女性、工作压力过大休息不好的女性、青春期穿紧身内衣的女性、月经初潮过早的女性、接触过装修异味或有毒物史的女性、被动吸烟的女性等，其中有些女性已经出现了卵巢早衰的迹象。

如果说要预防月经不调，那么就要重视生活的细节，如降低工作压力，保证充足的睡眠和休息; 在饮食上，多吃豆制品和蔬菜; 对于有宝宝的女

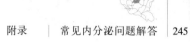

性来说，坚持母乳喂养，也有利于产后月经不调的预防。除此之外，尽量避免接触有害的环境，举个简单的例子，雾霾天的时候出门带上口罩，不仅保护我们的肺，对于妇科保护来讲也是有很大好处的。

如果你已经有月经不调的症状，那么我建议你根据自身的情况接受治疗，另一方面还是要从好习惯入手，调整好心态，经常参加体育锻炼。还要注意保暖，很多女性月经不调是贪凉引起的，所以要杜绝吃冷、辣的事物。如果你存在营养不良的情况，可以适当增加一些肉类和大枣，这对于贫血导致的月经不调是很有效果的。

4 孩子出现青春期功能失调性子宫出血，首选治疗方法是什么？

柳顺玉：中重度出血需要看急诊，接受性激素治疗。

青春期功能失调性子宫出血，主要原因是下丘脑—垂体—卵巢轴发育不成熟，导致卵泡不能发育进而引起无排卵，内分泌激素紊乱，出现月经不调。在临床上，表现为出血失去规律性（周期性），间隔时长时短，出血量不能预计，一般出血时间长，不易自止。严重的会出现失血性休克症状如苍白、虚弱、出汗、脉细、血压下降，需要急诊处理。

这种病一般在女孩月经初潮后两年内开始发病，是青春期女孩比较常见的妇科急性病。需要接受性激素治疗，如雌激素、孕激素、口服避孕药等。

我在接诊时，很多家长不了解以上情况，经常问治疗药物是激素类药物吗？甚至有些家长怕应用激素治疗而不去正规医院治疗，导致小孩未能及时治疗，结果出现了大出血、休克的情况，甚至危及生命。所以，这一点上，家长朋友们还是需要引起注意的。

5 子宫异常出血和功能失调性子宫出血有何区别?

柳顺玉：子宫异常出血包含功能性子宫出血，需要检查判断。

一般来说，女性子宫异常出血的表现是：月经量过大（一次高于80毫升）、月经过频（间隔小于21天）、非月经期出血。子宫异常出血包括器质性也包括功能失调性子宫出血。

功能失调性子宫出血是生殖内分泌轴功能紊乱造成的子宫异常出血，并除外器质性疾病，分为无排卵型和有排卵型两大类。常发生于青春期和围绝经期两类女性人群的身上。例如之前讲的青春期功能性子宫出血，主要是由于下丘脑—垂体—卵巢轴发育不成熟所导致的内分泌混乱，以及出血异常。另外围绝经期妇女，由于卵巢功能衰退，也会出现功能性子宫出血。说白了，功能失调性子宫出血就是由于卵巢功能不强或衰弱所导致的出血。当然，有时候我也会碰到这样的职业女性，她们在最近一段时间内生活不规律，也会导致异常出血的情况发生，在身心得到充分调理之后，出血情况会消失。

一般来说功能失调性子宫出血，如果出血量不是很大的话，一般都是比较好治疗的。但是需要注意的是器质性子宫出血，这种出血往往是因为器官出了问题，例如子宫肌瘤、宫颈病变、子宫恶性肿瘤等，如果子宫正常，内膜不规则脱落也会引起异常出血。

总之，当异常出血发生时，你需要引起注意，尽快到医院进行妇科检查判断，才能确定自己属于哪一类异常出血情况，然后进行对症的治疗。

6　是什么原因导致阴道炎反复发作？应该如何降低复发概率？

柳顺玉：坏习惯、滥用药和性传染是阴道炎反复发作的根源，减少复发要从这几点入手。

在妇科常见病中，阴道炎是挺令人头疼的，为什么这么说呢？因为阴道炎本身比较好治，但是有时候很会反复发作。反复发作的主要原因有这么几点。

首先是习惯上，很多女性有将手指或毛巾伸入阴道，这样容易将细菌带入阴道，引起或加重感染；有些女性习惯长期使用护垫，这样同样容易使会阴部透气不良而致感染。还有就是频繁使用阴道洗液，这种洗液虽然会产生清爽的感觉，但同时也容易破坏阴道内环境，反而使阴道炎反复发作并加重。

其次是用药上，有些女性患过霉菌或滴虫性阴道炎，治愈后再次出现外阴瘙痒时，就自行使用曾经用过的药物。但问题就来了，很多人不知道，再次发生的阴道炎的类型可能已经改变，如果治疗不对症，自然无法缓解。所以，再次出现外阴瘙痒的女性应先去医院检查，了解阴道炎的类型，以便对症治疗。还有的女性觉得使用中成药更安全，但问题在于中成药有清热解毒的功能，但起效慢、针对性不强，对于一些类型阴道炎，首选治疗还是要靠西药，才能彻底杀菌治病。

最后是性传染，要知道，滴虫性阴道炎、真菌性阴道炎都可以在夫妻之间相互感染，因此，女方患病后，男方也要去医院接受检查和治疗。有的男性虽然未患病，但是是健康带菌者，也应接受治疗。否则，女性治愈好了，通过夫妻间的性生活，又会被男性传染上，导致了反复发作。

既然我们了解了为什么阴道炎会反复发作，那么你就知道如何减少它发作了。首先是要保持阴道清洁和透气，内衣要尽量宽松透气，不要随意使用护垫和护理液、清洗液；其次不要随意用药，及时做检查，找到病根；最后是要让男士也做检查，排除他身上携带病菌的可能。

7 子宫肌瘤都需要手术吗？手术后需要注意什么？

柳顺玉：子宫肌瘤并非都要做手术，调理时要注意"身心结合"。

这个问题是很多女性关心的问题，关于子宫肌瘤的负面报道最近几年也是多次出现。其实，子宫肌瘤是女性生殖器官中最常见的一种良性肿瘤，也是人体中最常见的肿瘤之一。治疗应根据患者年龄、生育要求、症状及肌瘤的部位、大小、数目全面考虑。无症状肌瘤一般不需手术治疗，可用药物进行控制，特别是近绝经期妇女，每3~6个月检查一次即可。

那么，什么样的情况需要做手术呢？一般来说，如果有以下情况出现，我们会建议患者考虑手术：月经过多致继发贫血，药物治疗无效；严重腹痛、性交痛或慢性腹痛、有蒂肌瘤扭转引起的急性腹痛；有膀胱、直肠压迫症状；能确定肌瘤是不孕或反复流产的唯一原因者；肌瘤生长较快，怀疑有恶变。手术一般有两种情况，一是单纯地剔除肌瘤，二是完全将子宫切除。

　　手术后的调理是很重要的，调理不好会对健康恢复造成很大的影响。实际上，作为患者和家属都要记住以下几个原则，首先是术后需要卧床静养，饮食上以流食等清淡的食物为主，要少吃，待伤口愈合好再下地走动。三个月内不要从事剧烈的运动，也不要从事重体力的工作和家务活，要保持伤口的清洁，在饮食上要忌油腻，不要吃辛辣和生冷的食物，当然，瘦肉可以吃一些，以避免营养不良。此外，患者要定期回诊，不要嫌麻烦，根据医生的建议按时做检查，确保自己的身体健康无碍。

　　对于切除子宫的女性来说，很大的问题是心理问题，因为子宫切掉了，就意味着停经，对于岁数不是很大的女性来说会产生一定的抑郁情绪。这个时候，除了自身的心理调整以外，还要家人多帮着去开导。

8 为什么没有性生活也会得盆腔炎？日常生活中如何避免？

柳顺玉：没有性生活也会得盆腔炎，女人在经期要懂得呵护自己。

　　盆腔炎是女性常见的一种妇科疾病，一般都会与女性性生活有很大关系，但并不是绝对的。而很多还没有性生活的女性也会患上盆腔炎，她们会非常疑惑地问我："为什么我也会得盆腔炎？"

　　其实，在临床上，盆腔炎虽然多发于有性生活的育龄女性，但也不代表着没有性生活的女性就不会得盆腔炎，没有性生活的女性也可能会因以下一些因素而感染盆腔炎。

　　我们常常发现一些20多岁的女性，在经期卫生工作做得很不好。例如使用了不合格的卫生巾，还有在经期泡浴缸等，因为月经期间女性的抵抗力是很差的，这个时候细菌很容易侵袭女性的身体，引发盆腔炎。

卫生做得不好不行，过度地清洁也不行。有的女性习惯于过度清洁自己的私处，如经常使用肥皂或一些洗液清洁阴道，便可能打乱正常阴道内环境，甚至造成损伤，进而发生感染，最终引发盆腔炎。

除了卫生问题，在临床上还有一种比较常见的情况，是来自身体其他部位的细菌传播。比如阑尾炎如果没及时治疗，则其阑尾化脓后炎性渗出物流入盆腔也可引发盆腔炎；急性肠炎如果没有及时治疗，则其病菌可通过淋巴管传播至盆腔生殖器，引发炎症，等等。

预防盆腔炎其实和预防阴道炎有很多相通的地方，就是要注意好个人卫生，特别是月经期间的卫生。要挑选一些品牌比较好的卫生产品，用淋浴代替浴盆，还要注意保暖。

9 白带突然增多是什么问题？需要注意什么？

柳顺玉：白带增多分为生理性的和病理性的，要区别对待。

白带是什么？白带是阴道排出的一种分泌物，来自子宫内膜腺体、子宫颈腺体、尿道旁腺、前庭大腺等。白带增多不一定是患病，但多数是由各种妇科疾病引起的。正常的生理性白带增多，可以出现在以下两种情况：第一种，排卵期和妊娠期，女性身体雌激素水平升高，子宫颈腺体分泌也会增加，导致白带增多；第二种，月经前后，盆腔充血会让阴道及子宫分泌增加，此时也会出现白带增多的情况。这两种情况都是正常的，不用看医生。

那么不正常的白带增多是什么样的呢？就是在我说的排卵期、妊娠期、经期前后，出现白带突然增多，颜色异常，有难闻刺鼻的味道，以及伴随外阴瘙痒，那就很可能是病理性的白带异常。例如宫颈炎、阴道炎，都会导致出现这种病理性的白带异常。所以我们常常管白带叫做女性健康的"晴雨表"。

很多女性会关心怎样做能预防病理性的白带异常，其实这就回到了预防阴道炎、盆腔炎等妇科疾病上，前面我已经做了重点的回答，可以供大家参考。当然，这里可以提醒各位女性的是，除了改善生活习惯以外，定期做体检能够预防和控制妇科疾病，一定不要嫌麻烦。

⑩ 外阴瘙痒、白带发绿，请问这是什么症状，需要到医院治疗吗？

柳顺玉：白带发绿多是滴虫性阴道炎，需要化验检查后对症治疗。

经常观察自己的白带是否异常，其实是非常值得提倡的好习惯。但是很多女性却总是碍于面子，即使发现了白带异常的现象，也不好意思去医院检查，这是绝对不可取的态度。

如果你的白带发绿，颜色为黄或黄绿色，并有腥臭味，则可能为滴虫性阴道炎。当你出现这种情况时，最好及早到医院做个阴道的分泌物和白带常规的化验，这种情况一般是由细菌感染所引起的。通过化验，我们可以搞清楚是什么细菌感染的，明确之后再做对症的治疗。

有的女性发现自己外阴瘙痒之后，要么滥用止痒药，要么就用"土方法"，例如用热水洗烫、用肥皂清洗等，实际上都是作用不大的。若是阴道内细菌没有被杀死，还会反复发作。所以最好的对策是进行化验检查，根据结果进行对症治疗。

11 人流手术后出现闭经，应该怎么治疗？

柳顺玉：人流术后闭经需要进行 B 超、宫腔镜检查，确诊后使用雌激
　　　　素治疗。

　　在流产手术后，有少数患者会出现月经不调的现象，一般引起这种
情况发生的原因有：内分泌紊乱、精神紧张、劳累或是子宫内膜基底层
损伤等。还有少数的女性，在人流之后会出现闭经的情况。正常来说，
人流术之后 30～40 天会来月经，但是有的女性却发现自己在术后两个月
甚至是更长时间没有来月经，这种情况就比较严重了。

　　从临床经验上讲，造成术后月经不来有两种主要原因：一是有宫颈
粘连或宫腔粘连，导致经血不能排出或排出不畅；二是子宫内膜可能有
局部损伤，导致月经不来或者经量少。患者可以做一下 B 超测子宫内膜
厚度，必要时做宫腔镜检查，如有内膜粘连，可在宫腔镜下加以分离，
然后再用大剂量雌激素促使内膜增长。

　　这里要特别提醒各位女性的是，人流毕竟是有创伤的，因此尽量不
要作为避孕的手段，如果暂时不想生育，一定要采取可靠的避孕方法，
以免因人流导致身体上大的伤害。

12 绝经后有不规则出血，是什么原因，应该做哪方面检查？

柳顺玉：绝经后出血不可轻视，往往是妇科感染或肿瘤的信号。

　　绝经后的妇女如果出现不规则出血，这是一种危险的信号，千万不

要轻视。一般我们会从内分泌失调、妇科感染、肿瘤等方面来进行检查和判断。

妇科感染包括生殖道炎症、宫颈息肉、宫颈病变等。肿瘤比如子宫内膜癌、子宫肉瘤、宫颈癌或阴道肿瘤都有可能引发出血，某些卵巢功能性肿瘤也会引发阴道出血。检查通常包括妇科检查、盆腔超声检查、诊断性刮宫术、宫腔镜检查等，出现出血后一定注意减少辛辣刺激性食物的摄入，做到充足休息，避免劳累，少食生冷食物，积极就医检查。

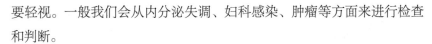

13 乳腺增生，来月经的时候有肿块，还伴有疼痛，吃什么可以调理？

柳顺玉：乳腺增生患者要少吃高热量、高嘌呤的食物，注重精神方面的放松。

从病理学上来讲，乳腺增生病是以乳腺腺泡、导管的上皮组织细胞及结缔组织增生为基本病理变化的一类疾病的总称，是一种既非肿瘤又非炎症的乳腺病变。乳腺增生病多见于 25 ～ 45 岁女性，其发病率占育龄妇女的 40% 左右，是最常见的乳房疾病。

乳腺增生病的本质，是一种生理增生与复旧不全造成的乳腺正常结构的紊乱，世界卫生组织统称良性乳腺结构不良。乳腺增生病的病因与内分泌激素失调、精神因素、药物因素、遗传因素、社会因素及饮食习惯等有密切的关系。

女性在经期，由于内分泌变化的影响，乳腺也会随之发生一定的变化，造成肿块和疼痛的出现。除此之外，当女性处于情绪剧烈波动时，也会出现肿块和疼痛。不止一位患者告诉我，她们一和爱人吵架就发现乳房多出了一些肿块，真是既伤心又伤身体。确实是这样，造成乳腺增生的精神因素可以占到很大的比重。

那么如何调理呢？乳腺增生患者要注意饮食上的调理：咖啡、巧克力、油炸食品，这类食物中含有较高的热量和大量的黄嘌呤，可促使乳腺增生，所以要少吃为好。乳腺增生患者应该多进食富含膳食纤维的蔬菜，在摄入高膳食纤维时，由于纤维可以影响胃的排空、小肠的吸收速度以及食物经过消化道的时间，促使脂肪吸收减少，脂肪合成受到抑制，就会使激素水平下降，从而可以有利于乳腺增生病的恢复。

另外就是在精神上要努力让自己做到少生气、少焦虑。如果你经常和家人吵架，那么你就要告诉他你有乳腺增生的情况，让他多包容你，呵护你的健康。如果你受工作影响，经常产生焦虑和抑郁情绪，那么我建议你要么能自我调整一下心态，要么就索性离开现有的工作。毕竟，健康才是最重要的。

14 什么是子宫内膜异位？如何预防这种病的发生？

柳顺玉：子宫内膜异位就是内膜细胞长在了不该长的地方，预防侧重经期保养。

子宫内膜异位是种什么病呢？子宫内膜异位指内膜细胞种植在不正常的位置而形成的一种常见妇科疾病。正常来说，内膜细胞本该生长在子宫腔内，但由于子宫腔通过输卵管与盆腔相通，因此使得内膜细胞可经由输卵管进入盆腔异位生长。

说白了，就是本该在子宫内长的内膜细胞长在了盆腔内。这种病发病机理是比较复杂的，对健康的危害是不容小视的。子宫内膜异位的临床表现包括痛经、下腹疼痛、月经失调、不孕、性交痛、泌尿道症状和肠道症状、盆腔包块等，严重影响女性身心健康。

子宫内膜异位治疗起来也是比较麻烦，情况轻一点的可以通过药物来控制，例如使用强力孕激素药物或雄激素药物，但治疗时间长，往往副作用比较大；如果是情况比较严重的患者，就要动手术，如果只是切除内膜异位的部分，容易复发，如果连同子宫、卵巢一起切除，则患者就会失去生育能力。

要想预防子宫内膜异位，你就需要注意以下几点。

1. 不要在月经期间参与剧烈运动，经期要杜绝性生活；

2. 在经期不要做盆腔检查，否则容易挤压子宫；

3. 在适婚年龄结婚，并及时怀孕；

4. 如果是已经生育过的女性，可适当口服避孕药抑制排卵；

5. 人工流产不做或最好少做；

6. 在非月经期多锻炼身体，不要久坐不动。

备孕疑难

15 女性输卵管堵塞还能排卵吗？需要进行哪些辅助治疗？

柳顺玉：输卵管堵塞和排卵没有必然关联，但会造成不孕症。

这个问题其实是大部分女性一个认知的误区，认为输卵管堵塞后肯定就不会排卵。其实在女性卵巢功能正常的情况下，输卵管堵塞和排卵是没有直接关系的。卵子从卵巢中排出，即便输卵管堵塞，也可以正常排卵，只不过输卵管堵塞会阻碍精子与卵子的结合，从而造成女性不孕症。

输卵管不通首先需要查明原因，搞清楚堵塞的部位具体在哪里，不同的病因和位置的治疗方法也是不同的，相应的治疗方法可以在彩超下介入治疗，通液、中西医结合治疗以及宫腹腔镜联合治疗等。这些都需要根据不同具体情况给予不同治疗方案。

16 得了宫颈糜烂然后怀孕，容易流产吗？

柳顺玉：别被宫颈糜烂所吓倒，孕期放松心情，定期做好产检。

患有宫颈糜烂的人怀孕后容易流产吗？这是所有宫颈糜烂患者所担心的问题，她们怕因为宫颈糜烂而造成胎儿流产，这将给她们带去更大的伤害。

那么事实上呢，宫颈糜烂是一种慢性宫颈炎症的表现，是一种很常见的疾病。但宫颈呈糜烂状，并不一定就是该病。因为孕妇体内雌激素水平高，这可使宫颈充血，宫颈腺体分泌功能增强，颈管柱状上皮增生下移而使宫颈呈糜烂状，这种子宫颈糜烂并非炎症所引起。

另外，即使是慢性子宫颈炎的子宫颈糜烂，如果不存在子宫内口松弛或宫颈深度裂伤，一般都不会导致流产。如果是真正的慢性子宫颈炎，也不要急于处理，等分娩后再做治疗不迟。

无论你是不是孕妇，首先不要被宫颈糜烂这四个字所吓倒，在我们医生看来这不算什么"病"，也和个人生活作风没有直接关系。如果孕妇患有宫颈糜烂的话，除了定期做孕期、妇科检查以外，还要注意自己的心理调节，心里别总装着这四个字，越是心态阳光，对肚子里的宝宝才是越好。

17 子宫肌瘤患者可以直接妊娠吗？还是需要先进行治疗？

柳顺玉：通过检查确定病情轻重之后，再决定是否试孕。

这个问题也是患者提问较多的一个问题，首先明确的是子宫肌瘤是导致女性不孕的原因之一，建议女性朋友定期体检，能及时排除隐患。如果有生育要求，建议到专科医院做 B 超检查，明确肌瘤的性质、大小和位置，听取医生的建议后再决定是否怀孕。

因为较大的子宫肌瘤可以使宫腔变形，不利于精子通过，阻碍受精卵着床、胎儿发育。当然并不是说患有子宫肌瘤的女性就不能怀孕了，只是怀孕的概率要相对低一些，也有一些子宫肌瘤的女性未经治疗成功生育，但风险都会存在，为了胎儿的正常发育，应在准备怀孕前及时就医，采取积极治疗。

18 想要备孕的夫妻可以同时提前服用维生素 E 吗？需要注意哪些问题？

柳顺玉：适当补充维生素 E 和叶酸，能提高受孕率。

我们都知道维生素 E 又称生育酚，可以提高受孕率，减少习惯性流产。如果之前出现过流产或生化妊娠现象，夫妻双方可以在备孕前三个月补充叶酸和维生素 E，维生素 E 需要注意的是其中 α 生育酚含量 100 毫克左右即可，不要多吃，并且选择正规品牌。

　　这里再提醒一下，现在精子活力差的男性是比较多的，所以备孕中的男性也最好去检查一下，确定自己的精子质量合格之后，同房试孕成功率才会更高一些。如果精子活力出了问题，对应的男科医生也会及时给出治疗的方案，很大程度上都是可以治愈的。

19 导致胎停育的原因有哪些，胎停育后多久可以再怀孕？

柳顺玉：导致胎停育的原因有激素不足、生殖免疫问题、受精卵质量问题和染色体问题等，建议胎停育之后半年内不要试孕。

　　与自然流产不同的是，大多数孕妇胎停育后没有明显症状或不适，往往通过妇科 B 超检查才发现。也有一些孕妇胎停育后，会出现妊娠反应减轻或消失，常常被孕妇忽视。胚胎发育早期的时候需要三个重要的激素：雌激素、孕激素、绒毛膜促性腺激素，如果母体内源性激素不足就会造成胚胎的停育；再有就是生殖免疫问题，如果自身有某种抗体也会导致胚胎的停育；第三，如果子宫环境不好或者畸形，胚胎也不会发育；第四是染色体问题。建议出现胎停育的夫妇共同到正规医院进行全面检查，根据检查结果进行治疗。通常我们建议流产后 6 个月之后，可以考虑再次怀孕，不过需要做孕前检查。

20 导致卵泡不成熟一般都有哪些原因，自身需要注意些什么？

柳顺玉：内分泌异常或卵巢功能不好，是导致卵泡不成熟的原因，可采用中西医结合的方法治疗。

我们说正常的成熟优势卵泡是 18～25 毫米，过大或过小都会影响受孕，即使使用促排的方式强制其排卵，也不能正常受孕。即使精卵结合着床，也容易出现胎停、死胎的情况。所以，要想优生优育，我建议患者还是要治好卵泡发育不良。

卵泡发育不良有很多原因，多数是由于内分泌异常或者卵巢功能不好引起的，具体的还是要检查下排卵情况和激素六项的情况，确定原因。如果排卵是正常的，只是发育不正常，可以进行药物治疗。当然也可以中药食疗调理，效果会更好。患者在平时要注意的是，不要吃辛辣刺激的食物，多吃一些温润温补的食物，因为中医认为卵泡不成熟多是肾虚宫寒所引起的，还是有一定道理的。

21 血糖高能备孕吗？应该注意哪些问题？

柳顺玉：血糖高是可以怀孕的，但要及时注意控制好血糖。

确实是，很多女性还没生孩子就得了糖尿病，对于她们来说，备孕时的心理负担要比其他女性大得多。那么血糖高或是糖尿病人，能够怀孕吗？这个问题要取决于糖尿病严重的程度。

在试孕之前，患者需要做血糖检查，并由医生根据检查结果确定是否能怀孕。因为严重的糖尿病人一旦怀孕，对母亲和胎儿的威胁都较大。如果育龄女性血糖高，但并不严重，是可以正常备孕怀孕的，但在怀孕期间首要任务就是控制好血糖，及时在医生的指导下调节胰岛素的用量，以防止高血糖造成胎儿的损害。

22 孕妇在什么情况下需要用黄体酮保胎？

柳顺玉：只有孕妇黄体分泌不足、孕酮缺乏时，才有必要摄入黄体酮保胎。

女人第一次孕育生命总是有各种担心和焦虑，这点我是感触颇多的。在妇产科，很多孕妇都有个误区，就是只要一出现先兆流产的现象就要求医生要用黄体酮保胎。其实并不是所有的先兆流产都是孕酮低导致的，因此必须要科学地检查后再进行确定。通常只有当孕妇黄体功能不全时，才有必要摄入黄体酮。

本质上来讲，黄体酮是一种孕激素，对黄体分泌不足、孕酮缺乏引起的先兆流产是有用的，除此之外，这种孕激素还经常被用来治疗月经不调或者是自然助孕促排卵。但大家需要注意的是，孕妇不要轻易用黄体酮保胎，听专业医师的就可以了。

如果本身受精卵质量不好，我觉得是没有必要通过打黄体酮保胎的。毕竟，中国有句古话说得好："强扭的瓜不甜。"

23 排卵期出血是什么原因？有这种情况可以备孕吗？

柳顺玉：雌激素下降子宫内膜脱落就会出血，排卵正常就可以备孕。

　　排卵期由于雌激素水平短暂下降，导致子宫内膜失去激素的支持，就出现部分子宫内膜脱落引起有规律性的阴道出血，这种情况就称为排卵期出血。排卵期出血的量比较少，有的只是咖啡色分泌物，并且持续的时间比较短，一般2~3天可自行停止，最长不会超过7天。

　　排卵期出血期间如果能正常排卵，也是有受孕可能的，胎儿也不一定会出现异常。但是如果因为妇科炎症、阴道黏膜受损或其他器官性疾病等原因导致的出血，一定要及时进行治疗，以免导致不孕或流产的后果。

24 喝豆浆真的能促排卵吗？还有哪些其他食物可以促排卵？

柳顺玉：豆浆对女性内分泌调节很有益处，但促排卵不能只靠改善饮食。

　　豆浆含有一定量的大豆异黄酮，女性喝比较有好处，能平衡身体内的内分泌，对促进卵泡发育有一定积极的效果。但如果你是因为卵巢早衰、多囊卵巢而引起的卵泡发育不良，无法正常排出的情况，喝豆浆是没用的，很大程度上需要药物进行治疗。除了豆浆，在饮食上你可以多吃一些含锌较高的食物，如豆类、牛肉、海鲜等。但不要过度依赖食补促排卵的说法，功效不会很显著，必要时候还是需要药物进行促排。

25 甲状腺结节是否可以怀孕？对胎儿有什么影响？

柳顺玉：甲状腺功能五项检查正常就能备孕，但甲状腺功能衰退会影
响胎儿智商。

　　这两年甲状腺结节的患者越来越多，不过一般良性居多，只要甲状
腺五项功能指标正常，就能怀孕。只是怀孕期间注意饮食调理，休息充
足。另外，如果孕妇甲状腺功能减退，可能会影响到孩子的智力发育。
所以在这里提醒各位，怀孕女性最好能在发现妊娠时进行一次甲状腺功
能检查，如果在怀孕前就已经因为有甲状腺疾病而接受了治疗，那么怀
孕期间，建议每6~8周应进行一次甲状腺的检查。

26 紧急口服避孕药失败导致怀孕的胎儿可以要吗？

柳顺玉：如果没有早期流产，且发育指标正常，是可以要的。

　　避孕药物对胚胎的着床有一定程度的影响，影响主要表现在早期流
产，如果胎儿发育正常的话问题不会很大，至于是否能导致畸形目前尚
无定论，需在怀孕期间跟踪检查，怀孕4~5个月后可以通过B超等手段
明确检查出来。

　　我的建议是，如果避孕药失效怀孕了，这种情况下，首先不要过于紧
张，因为情绪波动会影响胎儿的正常发育，然后孕妇要做的是就是正常的
孕期检查，如果检查发现各项指标都很正常，就基本上无碍。

27 "胖多囊"女性想要怀孕，首要任务就是减肥吗？

柳顺玉：是的，减肥和控制体重是"胖多囊"女性的首要任务。

多囊卵巢综合征病人往往体态肥胖，就是传说中的"胖多囊"，当然个别也有偏瘦的，这种病治疗首先要减肥。减轻体重能降低患者的胰岛素和雄激素水平，恢复正常的月经及排卵。特别是减少腹部脂肪，能减轻患者体内的胰岛素抵抗。

一般来说，体重每下降5%就能减轻多毛、痤疮等高雄激素症状。因此，对于多囊卵巢综合征患者来说，选择低糖、低脂肪饮食，加强运动，降低体重是价廉、有效的基本方法。一位胖多囊患者曾经连续闭经九个月，然后通过运动、饮食调节和针灸治疗，成功地控制了体重，最后月经也恢复正常，排卵也显示正常。所以减肥是告别"胖多囊"的第一步，当然也是最重要的一步。

正视激素

28 内分泌失调到什么程度，需要到医院做检查和治疗？

柳顺玉：精神紧张、痛经、妇科炎症、性功能障碍和异常出血，都需要去看医生。

首先精神过度紧张，如经前紧张综合症，这就是由于内分泌失调的精神系统功能紊乱所引起，如果长期处于精神紧张状态，伴有较重的生理反应，这时候就需要去医院就医。

第二就是痛经，痛经是女性中普遍存在的生理现象，但如果严重的痛经已经超出了可以忍受的范围，也应该及时就医，首先排除一下是否患有子宫内膜异位症。

第三如果发现有不明原因的阴道瘙痒，并且长期反复发作，这时候也需要响起警钟，去医院做一下检查，切不要在家盲目乱用药。

再有女性的性功能障碍，比如性欲低下或者性欲过强，这些已经影响到了正常的生活，都需要去医院经内分泌检查后，进行激素的联合治疗。

还有月经出血异常，正常月经由下丘脑—垂体—卵巢轴系统调节控制，呈现规律性的子宫出血。如果因为调节生殖的神经内分泌功能失调，导致性激素分泌异常引发的子宫异常出血时，应及时就医检查，可以进行辅助诊断与治疗。

当然我们平日里并不太在意的很多现象，比如脸上较为严重的青春痘，便秘，还有脾气暴躁，这些其实都是和内分泌失调有关，但是这些症状很少会引起女性朋友的注意和警觉。其实出现这类情况的女性可以到医院进行检查，以确诊是否为内分泌失调，如果不是则需要进一步检查，确诊病因，对症治疗。

29 哪类女性最容易内分泌失调？

柳顺玉：25～35岁的职场女性是最容易出现内分泌失调的群体。

其实，导致女性内分泌不调的原因有很多，比如一些营养物质的缺乏；长期处于紧张过度的情绪中；或是内分泌腺本身出现了问题，从而直接影响到内分泌，引起体质变化；再有就是环境中的某些化学物质，一旦进入体内，也会导致机体出现内分泌失调。

具体来说，最易出现内分泌失调的女性群体主要是生活习惯不好的女性，特别是 25～35 岁这个阶段的职场女性。

1. 经常吃快餐的女性，因为这些快餐中含有较多的人工激素，容易导致女性体内激素水平混乱。

2. 经常加班熬夜的女性，经常熬夜很容易导致新陈代谢失调和内分泌混乱，所以你会发现，熬夜之后女性脸上出现黑眼圈、痤疮，这些都是内分泌失调的信号。

3. 血液循环不畅的女性，例如长期久坐不动或是本身肥胖不爱运动的女性，这类女性体内淋巴液与血液循环不畅，影响身体的废物、毒素等物质的排出速度降低，导致内分泌出现混乱。

30 雌激素吃多了有没有副作用？哪种雌激素比较安全？

柳顺玉：激素都存在不同程度的副作用，吃多少要遵医嘱。

严格意义上说各种雌激素差不太多，实际上也没有几种雌激素，现在市面上有的，结合雌激素、戊酸雌二醇、17-β-雌二醇就这几种，没有本质上的区别，用哪种实际上都是可以的。

至于使用这些激素有没有副作用，这个回答是肯定的，没有一种药是没有副作用的。关键问题是在医生指导下，在合理的剂量合理的时间使用它，从医生角度保证副作用在一个可控的范围里，因为医生是最了解这些药物，患者切不可私自滥用雌激素。所以应不应该补充雌激素，我们应该选择什么样的雌激素，和什么时候开始补，应该具体听医生对病人的建议。

31 卵巢功能的衰退会导致骨质疏松吗？女性应该如何预防骨质疏松？

柳顺玉：卵巢功能衰退身体各个器官都开始老化，骨质疏松是必然
　　　　结果。

　　一般女性 35 岁以后，卵巢功能便开始衰退。一些卵巢早衰的妇女，卵巢功能衰退发生的年龄更早，卵巢功能衰退直接引起体内雌激素水平的下降，使机体内分泌系统出现复杂的变化。我们身体中的各个器官在失去雌激素的作用后，都会不同程度表现出老化的现象，比如面部皱纹的产生，乳房变小变松弛，外阴、引道上皮变薄，子宫内膜萎缩，等等，当然还表现在骨质中钙的含量减少，导致骨质疏松。女性的衰老现象是一个缓慢的过程，衰老的程度与其个人的心理因素也有着很大的关联。

　　预防骨质疏松的最好办法就是提前预防它的发生，首先保证每日钙的摄取量，除了日常要注意均衡的饮食，多食用一些含钙量低的食物比如牛奶、奶酪、大豆等。多做一些有氧运动如散步、快走、跑步、爬山、游泳等。再有就是多晒太阳，工作再忙也记得抽时间到户外多走动多晒太阳，促进体内维生素 D 的形成，维生素 D 能有效促进人体对钙的吸收，同时还能防止癌症的发生。

　　除了针对性地预防骨质疏松以外，女性还要注重预防卵巢功能衰退，因为卵巢功能衰退才是"病根儿"。

32 听说女性到了更年期不仅脾气发生变化，身体内部变化也很严重，这个需要治疗吗？

柳顺玉：更年期雌激素会减少，即便不需要治疗也需要调理。

很多女性都认为绝经是每个人都有的一个生理现象，既然是生理现象也没什么必要治疗。其实，这是一个很大的误区，更年期一旦来临，就意味着女性体内的雌激素水平开始迅速下降，诱发出各种症状，如果不及早干预，持续时间最长可达到数年。

女性从进入围绝经期到 60 岁，因为雌激素少得可怜，就会导致各种各样的症状随之出现，通俗讲就是更年期，如潮热多汗、睡眠差、胃痛、骨头痛，甚至有的人严重抑郁到想自杀。有的人月经紊乱会持续两三年，有的人七八年，很多女性的生殖道严重萎缩，随之而来的是老年性阴道炎等妇科炎症连绵不绝。

虽然更年期症状因人而异，但总的来说，症状比较严重且需要治疗的患者比例在 10% 左右，而 30% 左右的人群在绝经后相对平稳，并不会有明显的症状，还有一部分人群会出现一些不适症状，但通过自身的调节、适当补充雌激素、心理适应等，一般也能安全、平稳度过更年期。

33 有些女性朋友不到 30 岁就出现卵巢早衰，这种情况是否建议补充雌激素？

柳顺玉：真的卵巢早衰需要补充雌激素，如果只是内分泌失调就不需要。

卵巢早衰内分泌化验有诊断标准，真正达到诊断标准的女性，多数是明确诊断，且很难可逆。如果真的确诊是卵巢早衰，我建议要积极补充雌激素。但就我门诊多年的经验，有些年轻女性的卵巢早衰往往并不是真正的卵巢早衰，而只是短期的内分泌失调所引起的卵巢早衰现象。更多的年轻女性出现这个症状，是生活节奏和工作压力所导致的一个结果，往往来自于精神层面。这类患者我都是建议先把心理问题调节好，如果真的出现卵巢早衰再寻求合理药物治疗。

34　听说短效口服避孕药有美容祛痘的功效，月经正常的人平时也可以吃吗？

柳顺玉：不建议内分泌正常的女性使用这个方法美容祛痘。

在书中我也提到过，新一代的短效口服避孕药对女性的身体健康有许多积极的影响。另外，像新型短效避孕药优思明，含有与天然孕酮药理特性相近的孕激素——屈螺酮，它能缓解女性的经前紧张综合症和痛经症状。它独有的抗炎皮质激素效应，可以有效消除雌激素可能引起的水潴留，服用后就不容易出现浮肿，体重增加的现象，它还具有抗雄激素的效应，对青春痘也有很好的改善作用。

但是如果没有痛经、月经不调、经血过多等这些相关的内分泌失调症状，我不建议女性朋友服用，即便服用一定要在医生指导下进行，这也是我一再反复强调的。

35 体毛过多，饮食上需要注意些什么？

柳顺玉：建议多吃具有双向调节雌激素的果蔬，少吃高热量、高油脂的食品。

　　不同的人体质肯定是不一样的，如果雄性激素分泌比较多的话体毛就会比较多。建议这样的女性可以多吃一些具有双向调节雌性激素功能的食物，比如核桃、豆腐、芝麻等。我在书中提到过，女性在平时不要吃热量大、刺激大、油腻的食物，这些食物会减少你体内的雌激素分泌，取而代之的是雄性激素，长期食用的女性体毛会有增多的趋势。偶尔吃上一两次没事，但还是要多吃水果蔬菜。

图书在版编目（CIP）数据

女人面色润、妇科好、精神足，养好内分泌是关键 / 柳顺玉著.
— 南京：江苏凤凰科学技术出版社，2015.4
ISBN 978-7-5537-4282-3

Ⅰ.①女… Ⅱ.①柳… Ⅲ.①女性—保健—基本知识
Ⅳ.① R173

中国版本图书馆CIP数据核字（2015）第054547号

女人面色润、妇科好、精神足，养好内分泌是关键

著　　　者	柳顺玉	
责 任 编 辑	庞啸虎	
责 任 监 制	曹叶平　方　晨	

出 版 发 行	凤凰出版传媒股份有限公司
	江苏凤凰科学技术出版社
出版社地址	南京市湖南路1号A楼，邮编：210009
出版社网址	http://www.pspress.cn
经　　　销	凤凰出版传媒股份有限公司
照　　　排	丁丁图文
印　　　刷	北京天宇万达印刷有限公司

开　　　本	889mm×1194mm　1/16
印　　　张	17.5
插　　　页	8
字　　　数	220 000
版　　　次	2015年4月第1版
印　　　次	2015年4月第1次印刷

标 准 书 号	ISBN 978-7-5537-4282-3
定　　　价	36.80元

图书如有印装质量问题，可随时向我社出版科调换。